INTERROGATOIRE A DISTANCE

La collection *Regards croisés*
est dirigée par Jean Viard

Illustration de couverture :
Aquarelle originale de Didier Brousse, 1989.

© Rowohlt Verlag GmbH, 1987.
© Éditions de l'Aube, 1989,
pour la traduction française

ISBN 2.87678.025.9

Václav Havel

Interrogatoire
à distance

Entretien avec Karel Hvížďala
traduit du tchèque par Jan Rubeš

Éditions de l'Aube

Cet ouvrage a été publié avec le concours du Ministère de la Culture, de la Communication, des Grands Travaux et du Bicentenaire.

NOTE DU TRADUCTEUR

Interrogatoire à distance *a paru en 1986 à Prague, en édition pirate « samizdat », comme 233ᵉ volume de la collection* Expedice. *Peu après, il a été publié en traduction allemande chez Rowohlt et réimprimé en tchèque à Londres chez Rozmluvy. Depuis lors, d'autres traductions ont suivi, en suédois, en anglais, en hongrois...*

Karel Hvížďala, l'interviewer de Václav Havel, est un journaliste pragois émigré en RFA depuis 1979. Il a déjà publié d'autres livres d'entretiens avec des écrivains et artistes tchèques vivant en exil. Son projet avec Václav Havel date de 1985 et on imagine aisément les difficultés qu'il fallait surmonter pour le réaliser. Les réponses de Havel aux questions que Hvížďala lui avait posées par écrit ont été enregistrées sur une dizaine de cassettes, puis transcrites et rédigées en collaboration avec l'auteur.

Il serait superflu de présenter Václav Havel, qui en dit beaucoup sur lui-même dans ce livre. Ajoutons seulement que depuis l'enregistrement des réponses, il reste, comme il en fait la prévision à la fin de cet entretien, celui sur qui se porte l'espoir des autres qui symbolise la résistance contre le pouvoir totalitaire dans son pays. En janvier 1989, au cours des commémorations de la mort de Jan Palach, Havel sera arrêté et condamné à neuf mois de prison. La réaction sera étonnamment forte dans la Tchécoslovaquie « normalisée », où des centaines d'intellectuels signeront des pétitions protestant contre l'intolérance des autorités, et unanime à l'étranger. En Pologne, par exemple, plusieurs théâtres donneront ses pièces en présence des représentants du régime.

Si pour les uns Havel est un contestataire et défenseur des droits de l'homme, pour d'autres, comme Arthur Miller, il est un des plus grands auteurs dramatiques de notre temps. Certes, l'un entraîne l'autre : sans sa réputation d'écrivain, ses actes auraient eu moins d'impact, sans son activité politique, son inspiration aurait été appauvrie. Sa force est dans l'unité de ces deux aspects de sa personnalité — dans l'art et l'honnêteté intellectuelle, dans le talent et le courage.

Václav Havel a reçu en 1986 le prix Erasme et en 1989, à Francfort, le prix de la Paix.

Jan Rubeš, 1989.

8

vraiment nos origines bourgeoises, mon père fut le continuateur de son œuvre. Il acquit une colline déserte dans les environs de Prague, y fit construire un quartier de villas connu sous le nom de *Barrandov*, où il édifia les terrasses qui, avec le palais de Lucerna, étaient la propriété de notre famille. Cela s'appelait « les établissements de restauration Lucerna et Barrandov ».

Mon oncle, le frère de mon père, se consacra dès sa jeunesse au cinéma ; il fit d'ailleurs construire les studios à Barrandov. Pendant la première République, puis au cours de l'occupation, il fut le « grand patron du cinéma tchèque ». Quant à ma mère, il est difficile de dire à quel point elle était issue de milieu bourgeois. Son père, Hugo Vavreka, venant de Silésie, était certes d'origine modeste ; il exerça trente-six métiers avant de devenir rédacteur économique des *Lidové Noviny*, puis ambassadeur auprès de différents pays (même ministre pendant quelques jours), l'un des directeurs des usines Bata et écrivain de circonstance. Toute l'histoire de notre famille est décrite dans les six tomes de ses *Mémoires*, qui parurent en samizdat. En fait, c'est mon frère, ma femme et moi qui, à la fin des années soixante-dix, l'incitâmes à les écrire, dans un but essentiellement thérapeutique. Nous avions le sentiment que, pour rester jeune d'esprit et vivre longtemps, il lui fallait s'occuper de quelque chose d'utile ; il avait presque quatre-vingts ans quand nous lui suggérâmes cette occupation. Cela a donné un livre intéressant et instructif où, à chaque phrase, il apparaît clairement que le moteur qui poussait mon père (ainsi que son grand-père) n'était pas la fameuse avidité capitaliste du gain et du profit, mais plus précisément le besoin d'entreprendre et le désir de créer. Mon père resta d'ailleurs endetté toute sa vie à la suite des travaux de construction de Barrandov et il n'était pas, que je sache, un millionnaire. J'en ai pour preuve qu'il ne fut pas assujetti après la guerre à l'impôt auquel les plus riches ont été soumis. Il est d'ailleurs touchant de le voir, dans son livre, s'excuser d'avoir participé à l'univers de l'initiative privée. Mais fermons cette parenthèse : mon père était un brave homme, extrêmement gentil, bien que « capitaliste » et « bourgeois ». Cela dit, cela ne signifie pas que je me sois, moi, identifié à l'esprit bourgeois et au système capitaliste. Tout a été plus compliqué.

Mon enfance s'est passée à la campagne ; j'y allais à l'école et je jouissais, il est vrai, de certains avantages et privilèges. A la différence de mes camarades, j'étais un « fils de riche », issu d'une famille influente qui employait, comme c'était alors la coutume, des domestiques ; nous avions une cuisinière, une servante, un jardinier, un chauffeur — j'avais même une gouvernante. Cela créait entre moi et le milieu où nous vivions (mes camarades d'une part, nos domestiques d'autre part) une barrière sociale. Bien qu'enfant, je la percevais très clairement et la supportais très mal. Je considérais cette situation comme un grand désavantage, j'avais honte de ces privilèges et ne demandais que leur abolition, aspirant à l'égalité avec les autres. Certes, je ne cherchais pas dès mon enfance à faire une révolution sociale, mais je me sentais tout simplement exclu, objet d'une mise à distance, d'une certaine méfiance (que je n'oserais sûrement pas appeler haine de classe !). Je sentais qu'entre le milieu où je vivais et moi se dressait un mur invisible, et que derrière ce mur, j'étais seul, perdu et ridicule. J'imaginais inconsciemment une sorte de complot dirigé contre moi, qui serait justifié par ces privilèges. Bref, je me sentais exclu et humilié ; ajoutez à cela que j'étais un petit gros, ce dont les autres enfants, comme c'est souvent le cas, se moquaient, ayant peut-être ainsi l'occasion d'exercer une sorte de « vengeance sociale ». Je pense que cette expérience enfantine a influencé ma vie d'adulte, y compris mon écriture. Ce sentiment d'exclusion, cette position délicate au milieu de la collectivité, qui se sont encore accentués après la victoire du régime communiste — lorsque je suis devenu une cible privilégiée de ce qu'on appelle « la lutte des classes », et qui a abouti à une nouvelle expérience d'isolement —, ont inévitablement influencé ma vision du monde et mes pièces de théâtre. Mon regard est un regard d'en bas, un regard de l'extérieur, un regard formé par l'expérience de l'absurde. Seul un sentiment profond de l'exclusion permet à l'homme de voir parfaitement l'absurdité du monde et de sa propre existence — ou du moins la place de l'absurde en eux. On a dit de mes pièces qu'elles étaient représentatives du « théâtre de l'absurde » tchèque. Il ne m'appartient pas de juger de cette filiation (même si cette influence est indéniable, quoique j'aie subi sans doute encore plus d'influence de Kafka) ; cependant, je percevrais moins la dimension absurde du monde si je n'avais pas vécu l'expérience existentielle dont je viens de parler. Au fond, je devrais être reconnaissant à mes « origines bourgeoises » car le sentiment d'exclusion involontaire que je leur dois, tant dans mon enfance que plus tard, a été fructueux. Je me demande parfois si je ne me suis pas mis à écrire et à me battre pour surmonter cette expérience d'inappartenance, d'embarras, d'exclusion, bref d'absurdité — et si je ne devrai pas la surmonter toute ma vie. Bien sûr, je ne reproche rien à mes parents, ils étaient gentils et ne voulaient que mon bien. Ils étaient seulement marqués, comme d'autres, par leur situation et les mécanismes de leur classe sociale. Et je ne leur reprocherais rien non plus si leurs soins, à leur insu handica-pants, avaient tourné à mon avantage. Je dois d'ailleurs beaucoup, et directement, à notre milieu familial. J'y ai été éduqué dans l'esprit humaniste de Masaryk ; parmi les amis de mon père il y avait des philosophes ou des écrivains tels que Rádl, Peroutka, J. L. Fischer, E. Bass et bien d'autres encore. De plus, la belle bibliothèque de mes parents m'offrit pendant mon adolescence de bonnes opportunités de découverte. Certes, comme cela arrive souvent, j'ai vécu à cette période une sorte de révolte contre mes parents. Même si je n'ai jamais flirté avec le communisme — mon opinion là-dessus a toujours été claire —, j'ai été à cet âge-là violemment anti-bourgeois et j'ai dû heurter mes parents en cette époque difficile — celle des années cinquante — en disant quelques bêtises. Mais cela a vite passé. Néanmoins, de ces années de première prise de conscience m'est resté un acquis positif : mes origines bour-geoises ont éveillé en moi, ou plutôt renforcé — quoique cela puisse vous paraître improbable — ma sensibilité sociale, mes réactions contre les privilèges immérités, contre les barrières sociales, contre la prédestination de classe à une soi-disant « position supérieure », contre l'humiliation qu'elles ont fait subir à la personne humaine. Je suis convaincu que tous les gens devraient rencontrer, dans la mesure du possible, les

12

mêmes chances de réussite. Evidemment, la capacité de chacun à utiliser ces chances est un autre problème.

Est-ce que vous n'avez pas, finalement, accepté les règles du jeu qui régissent le fonctionnement du système en Tchécoslovaquie depuis 1948, en nuançant ainsi le problème de vos origines? Ma femme est issue d'une famille semblable à la vôtre; elle possédait une chaîne de grands magasins, dont le Signe blanc, le premier supermarché moderne de Prague. Eh bien, je trouve qu'il peut être positif d'être né dans une famille riche qui, de plus, a réalisé quelque chose d'important. Ne faudrait-il pas enfin l'avouer ouvertement?

Dans ce que j'ai vécu et dit sur mes origines bourgeoises, je ne sais pas à quel point transparaissent mon adhésion ou mon indépendance par rapport aux règles du système. Bref, c'est ainsi que je vis les choses et que je les vois, je ne peux faire autrement, et il m'est égal qu'il y ait là un signe ou non de consentement. De toute manière, une prise de conscience ne se fait jamais dans le vide, hors des systèmes et hors du temps. En grandissant, on mûrit et on évolue intellectuellement, influencé par son époque. Ceci ne peut demander, en soi, une autocritique. La question est plutôt de savoir si on se laisse influencer dans le bon ou dans le mauvais sens.

Certes, je suis d'accord avec vous mais revenons encore à ma question. Ne croyez-vous pas qu'après tout ce que nous avons vécu, il serait utile de se débarrasser des illusions sociales sur le socialisme et l'égalitarisme?

Apparemment, vous tenez à me faire parler de mes opinions politiques. En fait, je ne me suis jamais occupé systématiquement de politique, de politologie ou d'économie. Je n'ai jamais eu d'opinions nettes et je les ai encore moins manifestées en public. Je suis écrivain et j'ai toujours conçu ma mission comme le devoir de dire la vérité sur le monde dans lequel je vis, de parler de ses horreurs et de ses misères — donc plutôt de prévenir que guérir. Proposer de meilleures solutions, et tenter de les réaliser, c'est la tâche des hommes politiques, ce que je n'ai jamais voulu devenir. En tant que dramaturge, je crois même que c'est au spectateur de trouver sa propre solution; telle est la garantie de sa vérité; mon devoir à moi n'est pas de lui proposer quoi que ce soit de définitif. Aussi, si la vie politique m'a toujours intéressé, c'est dans les limites de l'observateur, du critique, mais non du réalisateur. Ici, je fais bien sûr abstraction du fait indéniable, mais dans ce contexte insignifiant, que même la critique de la politique est une forme d'activité politique.

Cependant, vous avez bien des opinions politiques ?

J'ai une idée, plutôt vague, de ce que devrait être l'ordre des choses publiques. Je l'ai toujours eue, cela va de soi, mais je ne l'ai jamais développée systématiquement et publiquement. J'ai toujours défendu la démocratie et, pendant longtemps, je me suis considéré comme socialiste. Je me suis d'ailleurs défini comme tel il y a encore dix ans dans l'entretien que j'ai eu avec Jiří Lederer. Mais je dois ajouter que c'est alors la dernière fois que j'ai utilisé ce mot pour définir mes opinions politiques. Et ceci non du fait d'un changement de mes idées ou d'une conversion. Seulement je me suis rendu compte que ce mot a perdu toute sa signification et que son usage embrouille plus mes opinions qu'il ne les éclaire.

En fait, qu'est-ce que le socialisme ? Chez nous, où l'on parle des chemins de fer socialistes, du commerce socialiste, de la mère socialiste, de la poésie socialiste, ce mot ne signifie rien d'autre que la loyauté envers le gouvernement. Et d'ailleurs, là où il a encore une signification, il peut exprimer tant de choses différentes ! Aussi ma séparation d'avec cette notion résulte-t-elle du refus fondamental des catégories définitives, de la phraséologie idéologique, des formules sémantiquement vides. Celles-ci rendent la pensée rigide et l'embrouillent dans une quantité de données statiques qui éloignent de la vie et la rendent impénétrable. (Dans mes essais, j'ai parfois utilisé des notions à moi comme « le système post-totalitaire », ou « la politique anti-politique », mais il ne s'agissait que de catégories auxiliaires choisies pour désigner une situation concrète dans une analyse précise, un contexte et une atmosphère définis, sans que je me croie obligé d'y revenir plus tard ou de les réutiliser. Pour moi ce n'était que des moyens linguistiques

14

liés à une situation particulière et non des catégories définitives.) Ceci dit, j'ai cessé de me présenter comme socialiste sans que cela change d'une manière ou d'une autre mes opinions politiques. Et, même à l'époque où je me présentais comme tel, je ne m'identifiais à aucune doctrine précise, à aucune théorie ou idéologie qui représente un projet global de nouvel ordre universel. Le socialisme a été plutôt, pour moi, une catégorie humaniste, éthique, affective. J'ai été socialiste dans le même sens que Peroutka ou Černý — qui eux aussi se disaient socialistes. Il y eut une époque où étaient socialistes tous ceux qui sympathisaient avec les opprimés, les humiliés, tous ceux qui s'opposaient aux avantages immérités, aux privilèges héréditaires, à l'injustice sociale et aux barrières immorales par lesquelles l'homme était condamné à se soumettre en perdant sa dignité. J'ai été socialiste dans ce sens « moral » et « affectif » et je le suis toujours, sauf que je ne désigne plus mes positions par ce terme.

Comment décririez-vous vos opinions actuelles sur un meilleur ordre du monde ?

J'en ai aujourd'hui une image plus claire, je crois, que quand j'étais jeune. Cependant elle reste assez vague, imprécise et ouverte à de nouvelles connaissances qui peuvent la modifier. Mais, de toute manière, je pense d'abord que les causes de la crise que vit le monde aujourd'hui ne sont pas dues seulement à un système d'organisation de l'économie ou à tel système politique concret ; je crois qu'elles sont plus profondes. Aussi bien l'Occident que les pays de l'Est, bien que différents à maints égards, traversent une crise semblable, voire identique. Et toutes les réflexions sur une alternative meilleure à l'état actuel devraient d'abord s'attarder sur l'analyse de cette crise. Alors, que peut-on dire du fondement et de la cause de cet état du monde ? Je trouve que Václav Bělohradský a bien exprimé la situation en parlant de notre « époque tardive » qu'il caractérise par le conflit entre le pouvoir — celui des méga-mécanismes — anonyme, irresponsable et engagé dans une fuite en avant incontrôlable, et les intérêts premiers de l'homme. Je ressens, moi aussi, cette tension fondamentale qui engendre notre crise générale. Et je suis persuadé que ce conflit — et le pouvoir impersonnel qui se développe exagérément — est en relation directe avec l'état intellectuel de notre civilisation que marque la perte des valeurs métaphysiques, du sens transcendental et de toute autorité morale régie par un objectif supérieur. Cette situation étrange est au fond logique : depuis que l'homme a fait de lui-même la raison absolue du monde et la mesure de toutes choses, l'univers a perdu ses dimensions humaines et a commencé à lui échapper. Si, comme c'est le cas aujourd'hui et pour la première fois dans l'histoire (si je ne me trompe, nous vivons la première civilisation athée), on se détourne radicalement de Dieu, ce n'est certes pas sans raisons spirituelles et culturelles profondes. Cette évolution est liée au développement des sciences, des technologies et du savoir, liée à un élan moderne de la pensée et de l'esprit. Mais l'anthropocentrisme prétentieux de l'homme moderne, persuadé qu'il peut tout connaître et soumettre, me semble au fondement de la crise que nous traversons. Il faudra se reprendre et se dégager de la pression des mécanismes apparents et cachés de la totalité. En commençant par la consommation, en passant par la répression et la publicité et jusqu'à la manipulation par les médias. Il faudra se révolter contre le rôle qui nous est assigné — où nous ne sommes plus qu'une pièce d'une gigantesque machine lancée dans une direction inconnue ; il faudra retrouver le sens de la responsabilité à l'égard du monde, c'est-à-dire à l'égard de ce qui nous dépasse. La science moderne est bien consciente de ce problème (contrairement aux détenteurs de l'idéologie scientiste), mais elle ne peut rien « réparer ». Il est hors de sa portée d'éveiller ce nouveau sens de la responsabilité car il n'existe pas de solution scientifique ou technique à ce problème. Alors, bien que cela puisse sembler paradoxal, il semble que seul le respect éthique et spirituel d'une autorité « extra-universelle » — que ce soit l'ordre de la nature, du cosmos ou l'ordre moral et son origine impersonnelle ou que ce soit l'absolu — puisse sauver la vie d'un « méga-suicide », la rendre supportable en lui restituant ses dimensions humaines. Par là seulement pourront se développer des structures sociales dans lesquelles l'homme redevienne homme, un réel être humain

16

Ceci veut-il dire que vous vous refusez à exprimer une opinion personnelle sur les systèmes politiques et que vous recommandez à l'humanité d'attendre une solution qui ne viendra qu'après une renaissance éthique et spirituelle ?

Premièrement : une renaissance spirituelle, telle que je la conçois (j'en ai parlé autrefois en termes de « révolution existentielle ») ne va pas tomber du ciel ou être apportée par un nouveau Messie. C'est nous tous qui, ici et maintenant, pouvons et devons « faire quelque chose ». Personne ne le fera à notre place et nous ne devons compter sur aucune aide. Je pourrais d'ailleurs démontrer que ce mouvement est déjà en cours, que des gens ne restent pas indifférents et veulent « agir ». Deuxièmement : les métaphores de l'esprit et l'évolution dans le domaine de la morale ne se passent pas hors du monde, au-dessus de lui ou dans un autre monde, elles se passent ici même. Elles se manifestent dans la vie sociale, nous en sommes informés et nous pouvons en juger la portée grâce à leurs effets — de même que l'idée d'un sculpteur se manifeste sur la matière de sa statue. Il n'est donc pas question d'inventer d'abord un monde meilleur idéal pour seulement ensuite le réaliser. On conçoit cette idée et on la rend apparente en vivant dans le monde ; on la crée pour ainsi dire à partir du « matériau du monde » en la nommant avec le « langage du monde »

Cela signifie-t-il que vous avez malgré tout une conception plus concrète d'un meilleur système social ?

Oui, je l'ai déjà dit. Le débat politique entre la droite et la gauche concerne traditionnellement la propriété des moyens de production, si je peux m'exprimer dans la terminologie marxiste. La question est donc de savoir si les entreprises doivent rester entre les mains de particuliers ou s'il faut les nationaliser. Quoique, à mes yeux, ce n'est pas là le problème fondamental. Il faut que l'homme soit la mesure de toutes les structures, y compris celle de l'économie, et non qu'il soit à la mesure de ces structures. L'essentiel est de sauvegarder les

17

relations personnelles, celles du travailleur avec ses collègues, celles du supérieur avec ses employés, celles de l'individu avec son travail, entre ce travail et l'usage de ses produits... L'économie entièrement nationalisée et planifiée (soumise à une planification rigide) telle que nous la connaissons chez nous détruit d'une manière catastrophique tous ces rapports ; ainsi entre l'homme et la vie économique s'ouvre un fossé qui ne cesse de s'élargir. C'est aussi pourquoi ce système fonctionne si mal. On y a perdu le rapport personnel au travail et à l'entreprise ainsi qu'aux décisions concernant le fond et le sens même de l'activité professionnelle et de l'usage de ses résultats — car on n'est plus intéressé par ce qu'on fait. Apparemment une entreprise appartient à tous, en réalité elle n'appartient à personne. Son activité se dilue dans le mouvement mécanique et anonyme du système dont la responsabilité n'incombe à personne et dont personne ne comprend plus le fonctionnement. Les moteurs naturels de la vie économique, comme l'ingéniosité, le dynamisme, la juste rémunération, l'analyse du marché, la concurrence, etc. sont arrêtés. Personne n'est plus rémunéré, ou pénalisé comme il le mérite, c'est-à-dire en fonction des résultats de son travail. Le sens de ce que l'on fait se perd, voilà le plus grave. Tout est broyé dans une mécanique économique impersonnelle et anonyme, du travail du dernier des ouvriers jusqu'aux décisions des bureaucrates de l'administration du Plan. Ceci est de notoriété publique. Et je ne crois pas qu'on pourrait s'en sortir magiquement en changeant de propriétaire et en réimplantant chez nous le système capitaliste pour réparer les dégâts. Le capitalisme rencontre des problèmes qui, dans une certaine mesure, sont identiques aux nôtres bien qu'ils soient d'un autre niveau et d'une certaine façon moins primaires ; la question de l'aliénation a d'ailleurs été décrite pour la première fois à partir du modèle capitaliste. Et on sait que les multinationales gigantesques du système privé rappellent à peu près les pays socialistes.

L'industrialisation, la centralisation, la spécialisation et la monopolisation, liées à l'automatisation et à l'informatisation, y rendent le travail impersonnel et absurde. Ainsi s'aggrave la manipulation de l'homme par le système dans lequel il vit même si, certes, cette manipulation, en comparaison avec celle que l'on vit dans les pays totalitaires, peut paraître infime. Le fonctionnement d'une entreprise comme IBM est sans doute meilleur que celui des usines Skoda, mais, du point de vue qui nous intéresse ici, cela ne change rien : les deux firmes ont depuis longtemps perdu leur taille humaine et les travailleurs n'y sont plus que les pièces d'un mécanisme. Ils sont coupés de leurs produits, des raisons de leur production, des effets que ces produits induisent sur le monde. Je dirais même que la situation d'IBM est pire que celle de Skoda car, si Skoda fabrique de temps à autre un réacteur atomique de type ancien pour les besoins des pays peu développés du Comecom, IBM lui, inonde le monde avec des ordinateurs de plus en plus perfectionnés sans que ses travailleurs puissent imaginer et, encore moins influencer, leurs effets sur l'âme humaine et sur la société ; ils ne peuvent plus savoir si leurs produits oppressent ou libèrent la société, s'ils l'éloignent ou la rapprochent de l'apocalypse. Ces mégamécanismes ne sont pas à l'échelle de l'homme. Le fait que l'un soit capitaliste, produise beaucoup et fasse des bénéfices alors que l'autre est socialiste, accumule les dettes et fonctionne moins bien me semble de ce point de vue tout à fait secondaire. J'espère que, par cette mise en parallèle, vous pourrez mieux comprendre quelle est ma représentation du système. Pour moi, il est indispensable que les entreprises sauvegardent, ou recréent, les rapports avec les hommes, que le travail soit animé par une préoccupation liée à l'homme ; les entreprises doivent donner aux employés la possibilité de comprendre leur fonctionnement, mais aussi de s'exprimer à leur sujet et de se considérer comme responsables. C'est pourquoi, et je le répète, leurs dimensions doivent être à l'échelle humaine. L'homme doit pouvoir travailler en tant qu'être humain, avec son âme et son sens de la responsabilité et non comme un robot, quel que soit son niveau de formation et de développement. Cette préoccupation, bien que difficile à déterminer économiquement, me paraît plus importante que tous les indices de production connus à ce jour. La question n'est donc pas seulement celle de l'homme en tant que travailleur, il s'agit du sens même du travail. Et son critère fondamental devrait être la qualité humaine, dans le sens le plus large du mot, en opposition avec la quantité de la production et avec une notion abstraite de qualité. Ceci est évidemment difficile à transcrire en termes d'indice de croissance, aussi bien pour le capitalisme que pour le socialisme. Mais il faut que l'homme trouve dans ce monde non seulement un domicile, mais aussi un « chez soi » ; que son monde ait un ordre, une culture, un style. Qu'on y respecte et cultive avec sensibilité, même si ce doit être parfois au détriment de la productivité, le profil du paysage ; qu'on vénère la fantaisie mystérieuse de la nature, ses couleurs, et la multitude des liens impénétrables qui la rendent homogène ; que les villes et les rues aient leur caractère particulier, leur atmosphère unique ; que la vie humaine ne se réduise pas à la production répétitive des biens et à leur consommation, mais que des possibilités multiples lui soient ouvertes ; que les gens cessent d'être un troupeau, une marchandise manipulable et uniformisée, consommateurs de la culture télévisée. Et peu importe qu'ils puissent choisir entre trois mastodontes concurrentiels du monde capitaliste ou un mastodonte unique et sans concurrence du monde socialiste. Que les couleurs extérieures d'un système et la grisaille de l'autre ne nous cachent pas que la vie y est un même désert qui a perdu son sens. Ainsi, je serais favorable à un système économique basé sur la multiplicité des petites entreprises, décentralisées, personnalisées, et qui soient adaptées aux particularités des lieux et des traditions de chacun. Alors seulement elles pourraient résister à l'uniformisation oppressante par le pluralisme des centres de décisions et des formes de propriété : à commencer bien sûr par la forme privée (les artisans, les services, le petit commerce, les moyennes entreprises, une partie de l'agriculture et évidemment la culture — où il n'y a pas d'autre solution possible) en passant par diverses formes de coopératives, de sociétés anonymes, de propriétés collectives (autogérées) jusqu'à la propriété d'Etat. Mais cette évolution ne doit pas exclure l'émergence de formes nouvelles. Par la suite, cette scène multicolore serait régulée à partir du centre (ce qui serait, dans une certaine mesure, indispensable), par le critère de ce qui sert l'intérêt général et de ce qui, par contre, le limite et le brime. Les arbitres logiques de cette situation nouvelle seraient des représentants choisis démocratiquement, qui s'appuieraient sur un dialogue permanent entre l'opinion publique et l'opinion des professionnels, délaissant la bureaucratie d'Etat.

Quant au système politique, je ne me fierais pas outre mesure au principe du jeu entre deux ou trois partis pensés comme garants de la démocratie. Certes, le pouvoir concentré entre les mains de l'appareil bureaucratique du parti unique, comme c'est le cas dans les pays communistes, ne vaut pas le système du multipartisme contrôlé par l'opinion publique, libre de s'exprimer et de choisir lors des élections. Mais, même cette situation-là, je ne la considère pas comme idéale. Je suis d'avis qu'il serait plus censé d'élire des individus et non pas des partis (dans le cas bien sûr où les individus pourraient se passer des politiques), d'élire donc des hommes politiques qui conquerraient eux-mêmes les faveurs des électeurs grâce à leur personnalité et non en tant que responsables ou favoris d'un mégamécanisme. Les partis peuvent être aussi nombreux que l'on veut, ils devraient garder le caractère de cercles politiques où se cristallisent les opinions et où les gens se rencontrent pour choisir entre eux ceux qui conviennent à la gestion de la « cité ». Cependant, les partis ne devraient pas directement prendre part aux élections, ni servir de béquille à leurs représentants. Bref, ils ne devraient pas participer directement au pouvoir, car c'est là que démarrent la bureaucratisation, la corruption et l'antidémocratie. A la limite, les partis devraient proposer des bases spirituelles et créer les conditions du développement intellectuel de ceux qui participent au pouvoir parce qu'ils sont légalement élus. Je ne m'oppose donc pas à la solidarité et à la cohésion de différentes associations d'intérêts ou d'opinion, je m'oppose simplement à ce qui affaiblit la responsabilité personnelle et à ce qui récompense, par des privilèges, l'obéissance à un groupement qui se bat pour le pouvoir. Voilà mon utopie personnelle. Je n'aime pas en parler et vous êtes le premier qui m'a poussé à m'exprimer à ce sujet, mais j'espère que le peu que je vous ai dit éclaire ce que je pense : un changement fondamental et positif est conditionné par un mouvement important dans le domaine de la pensée et non par un « truc » de stratégie. J'ai du mal à imaginer qu'un système tel que j'ai essayé de le décrire ici puisse se réaliser

Il fut le premier à me confronter aux problèmes philosophiques et à me faire découvrir les livres importants de la philosophie. Si je devais, plus généralement, évoquer les philosophes tchèques qui m'ont influencé, je voudrais nommer en premier lieu Josef Šafařík, un philosophe solitaire de Brno que, grâce à mon grand-père, je connais depuis ma toute petite enfance et dont l'ouvrage *Sept lettres à Melin* était mon livre de chevet. Nous sommes toujours restés amis ; il y a peu de temps, il m'a encore fait parvenir le manuscrit de son livre, à mes yeux fondamental : *Par le chemin vers le dernier*. Par ailleurs, parmi les gens que vous avez cités, j'ai été très lié, quand j'étais jeune, à Edvard Valenta, chez qui j'ai rencontré pour la première fois des gens comme Václav Černý, Olga Scheinpflugová, Pavel Eisner.

J'ai aussi rencontré, mais plus tard et aux Etats-Unis ou en Europe de l'Ouest, des personnalités importantes de la Tchécoslovaquie de l'avant-guerre ou de l'immédiat après-guerre. En 1968, j'ai beaucoup voyagé et j'ai pu ainsi rendre visite à de nombreux exilés. Le phénomène de l'exil m'a beaucoup intéressé : j'avais même dans l'idée à cette époque de préparer un livre sur l'exil. J'ai alors rencontré une trentaine de personnalités importantes, qui avaient quitté la Tchécoslovaquie après le coup d'Etat de 1948 (comme Zenkl, Lettrich, Slávik, Majer, Peroutka, Ducháček, Tigrid et Voskovec) et je leur ai à tous posé la même question : à quelle condition seriez-vous prêt à retourner en Tchécoslovaquie ? Evidemment, en 1968, cette question semblait moins absurde qu'aujourd'hui. J'ai ensuite combiné les réflexions qu'ils m'avaient faites avec mes propres observations et impressions sur le thème de l'exil. *Literární noviny* (*la Gazette littéraire*) se préparait à les publier à la dernière page qu'elle consacrait habituellement aux reportages et aux essais et ceci pendant plusieurs semaines, quand l'occupation soviétique nous a devancés. Plus tard, dans un moment de crise, j'ai détruit le manuscrit de ce livre et il n'en existe qu'une copie au ministère de l'Intérieur qui, comme je l'ai appris plus tard, avait eu le temps de tout photographier. Il faut que j'ajoute que ma relation avec le problème de l'immigration a été, dans les années soixante, différente de celle de la plupart des hommes politiques, car même les réformistes du parti voyaient dans les exilés de 48 des adversaires politiques et ils considéraient comme malencontreux de s'en occuper (le pouvoir pouvant même se retourner contre ceux qui le faisaient); aussi le problème de l'exil est resté pour eux un tabou; mais même pour les non communistes, le sujet est resté tabou car ils ne trouvaient pas prudent de s'en préoccuper si les communistes eux-mêmes ne le faisaient pas. Ainsi, les contacts avec les immigrés ont été considérés de tous côtés comme quelque chose de dangereux, d'indéfendable, voire de suicidaire. C'est pourquoi il y a eu si peu de relations avec l'exil. Certes, la revue *Svědectví (Témoignages)* publiait à Paris depuis déjà quelques années des textes écrits en Tchécoslovaquie, et Tigrid y avait des collaborateurs, mais en secret. Je me souviens du procès de l'écrivain Jan Beneš en 1967, qui a été condamné à une peine de prison pour avoir fait parvenir quelques articles à Tigrid. J'ai été personnellement impliqué dans cette affaire. On m'a interrogé à son sujet et ensuite, par l'intermédiaire de l'Union des écrivains, j'ai essayé de l'aider, mais je me rappelle que ça a été difficile. Personne ne voulait se mouiller. On n'a débattu du cas de Jan Beneš qu'à la veille du fameux IVe congrès de l'Union des écrivains. A la réunion plénière de la cellule du parti, Jan Procházka a lu mon appel. Cette politique d'autruche vis-à-vis de l'exil me déplaisait et en 1968 elle me sembla franchement absurde. Théoriquement, on devait réaliser la synthèse entre démocratie et socialisme, en concrétisant enfin le projet — déjà vieux de vingt ans — des représentants des partis politiques qui composaient le front national. C'est pourquoi je voulais ouvrir le débat sur le thème de l'exil. Mais je constate que je me suis un peu éloigné de votre question...

Alors, revenons-y si vous voulez bien. Vous avez rencontré Ferdinand Peroutka. Quelle impression vous a laissée ce journaliste, qui est sans doute le plus important de l'entre-deux-guerres?

J'ai effectivement rencontré Peroutka aux Etats-Unis à plusieurs reprises; je me suis rendu chez lui, à Lost Lake, et j'ai même enregistré avec lui un entretien de plusieurs heures. Dieu seul sait dans quelle cave de la radio tchécoslovaque il a abouti ! Evidemment, pour moi, ces dialogues étaient extrêmement précieux et intéressants. Peroutka analysait avec acuité, concrètement et avec une surprenante compréhension notre situation en Tchécoslovaquie (c'était en 1968) ; j'en ai gardé une impression qu'aujourd'hui encore, avec le recul, j'apprécie. Quoi qu'il arrive par la suite, disait-il, et il était plutôt sceptique, il faudra sauvegarder, comme héritage du Printemps de Prague, quelque chose qui est certes peu apparent, mais qui, pour l'avenir du pays, est important : le pluralisme des groupes qui se sont formés dans la population, même avec une activité politique minime. Grâce à la multiplicité des intérêts, des positions, des destins, des regards et des sentiments, cela représentera tout de même pour l'avenir une expression politisée de la réalité et une défense contre la pression totalitaire du système. Pour Peroutka, la capacité de résistance systématique de ces cellules sociales diversifiées était, pour le futur, plus importante qu'un grand bouleversement politique. Aujourd'hui, je comprends la clairvoyance de son analyse. Comme le mouvement de libéralisation a été de courte durée, et qu'il n'a pas permis le développement d'un champ d'activités aussi vaste, multicolore et impossible à manipuler qu'il eût été nécessaire, il a été plus facile d'écraser la libéralisation et de la briser d'une manière radicale. Et ce n'est qu'aujourd'hui, de longues années après, que cette société recommence à se manifester — dans des conditions incomparablement difficiles — à partir de foyers et de cellules d'activités indépendantes. Par contre, sur d'autres sujets, nous ne nous entendions pas. Il représentait plus l'Europe centrale des années vingt et trente que l'Amérique des années soixante. Et d'ailleurs, comme il l'avouait, il ne s'y sentait pas très bien, la comprenait mal et ne l'aimait pas particulièrement. Sur la politique américaine, il affichait, à mon goût, des opinions trop à droite et conservatrices. Par exemple, jusqu'au dernier moment, il fut persuadé que la commission Warren allait faire toute la clarté sur l'assassinat de Kennedy. Il ne comprenait pas non plus le mouvement hippy, — cette période excitée des années soixante, avec ses manifestations, sa musique, ses arts plastiques, et tout ce qui se rapportait à la « troisième conscience » de l'Amérique, autrement dit à sa période

« verdoyante ». Il me paraissait incapable d'analyser ce type de phénomènes qu'il considérait comme une anomalie incompréhensible; la vue des garçons et des filles se promenant à New York avec des chaînes au cou et les pieds nus comme les premiers chrétiens lui apparaissait comme une dégénérescence morale qu'il fallait combattre. Mais ce point de vue était évidemment en rapport avec son âge : il avait alors plus de soixante-dix ans, alors que moi j'appartenais à la génération des Beatles.

J'aimerais revenir encore à vos années de jeunesse...

En 1948, les biens de ma famille ont été nationalisés et nous sommes devenus une des cibles privilégiées de la « lutte des classes ». Mais il faut dire que mon père était si aimé de l'équipe du Lucerna qu'il a pu malgré tout continuer à y être employé comme conseiller de l'administrateur d'Etat et... comme planificateur. Ainsi, pendant de longues années, le dimanche midi, nous allions manger au restaurant du Lucerna et l'administrateur d'Etat venait à notre table : il entretenait un rapport intime et complice avec notre famille. Nos anciens employés nous faisaient des petits plats, nous adressaient des clins d'œil et nous servaient des doubles portions. Au sein de l'entreprise, c'était, comme on disait alors, un pur consensus de classe. Mon père a probablement pu y rester parce qu'avant-guerre il mettait la grande salle à la disposition du parti communiste pour y organiser ses congrès et un fonctionnaire, étonnamment sentimental, s'en était souvenu. Mais, mis à part cela, on ne nous faisait pas de cadeau. Nous allions par exemple devenir victimes de ce qu'on appelait « l'action B », qui signifiait la relégation hors de Prague de la bourgeoisie. On devait nous envoyer dans un petit village frontalier où il n'y avait ni possibilité de travail approprié, ni possibilité de logement. En fait, c'était le bannissement; mais, grâce à des combines administratives, nous avons réussi à rester à Prague. Nous nous sommes accrochés — avec un zèle typiquement bourgeois — à deux petites pièces de l'appartement que nous occupions auparavant. L'action B a été lentement oubliée et nous nous sommes, mine de rien, de plus en plus étalés dans cet appartement ; aujourd'hui, notre famille y vit toujours. Pour mon frère Ivan et moi, la lutte des classes, à ce moment, a avant tout signifié l'interdiction de faire des études. En 1951, après avoir terminé ma scolarité, j'ai été obligé de travailler. On m'a attribué un poste de charpentier mais mes parents ont pris peur : je souffre de vertige et ils craignaient — avec raison — — que je ne tombe d'un toit. Aussi, grâce à divers « pistons », ils m'ont trouvé du travail dans un laboratoire. J'avoue qu'aujourd'hui, je le regrette un peu. Si j'avais appris le métier de charpentier, je connaîtrais au moins quelque chose d'utile ! Alors que le travail en laboratoire est, pour un citoyen ordinaire, un savoir-faire peu utilisable, si l'on peut parler de savoir-faire. Je suis donc resté dans ce laboratoire pendant cinq ans, mais comme à l'époque tout n'était pas encore bien planifié, j'ai réussi ce qui n'aurait plus pu se passer deux ans plus tard : dès que j'ai commencé à travailler, je me suis inscrit à des cours du soir dans un lycée et j'ai pu y passer mon baccalauréat. Il faut dire que ces études secondaires du soir avaient été créées pour les directeurs-ouvriers qui devaient acquérir une formation supérieure mais qu'elles n'avaient pas été pensées pour les fils de bourgeois qui trouvèrent ainsi le moyen de faire des études qu'il leur avait été interdit de suivre normalement. D'ailleurs, le niveau des études y était très médiocre, mais, d'un autre côté, personne n'était très exigeant sur le temps que nous devions leur consacrer. Aujourd'hui, je ne comprends plus comment à l'époque j'ai pu réussir à faire tout ce que j'ai fait. Je passais huit heures par jour au travail ; de plus, j'avais des prestations de nuit à faire, et pour m'y rendre, je devais traverser Prague d'un bout à l'autre. Et tous les soirs, quatre heures de cours. C'était fatigant et pourtant, je trouvais encore l'énergie de fréquenter tous les cours de danse possibles, d'aller au bal, de lire énormément et de fouiner dans les étals des bouquinistes ; j'allais voir de nombreux écrivains, je menais des discussions sans fin avec des copains et j'écrivais mes propres textes.

Si je comprends bien, vous avez commencé à écrire en 1952, un an après la fin du collège ?

27

Même avant! En fait, j'ai écrit dès que j'ai appris l'alphabet. De la poésie, des feuilletons et, à treize ans, un traité philosophique. Quand je travaillais au laboratoire, j'ai conçu une brochure de vulgarisation sur la structure des atomes, et j'ai construit un modèle tridimensionnel original du système périodique des éléments. A quinze ans, j'écrivais régulièrement de la poésie alors que les sciences humaines commençaient à exercer sur moi un attrait particulier. A cette époque, nous nous réunissions avec quelques amis dans un cercle dont j'ai été, je crois, l'un des cofondateurs. C'était des jeunes de différents milieux que j'avais rencontrés lors des cours du soir au lycée ou à l'école primaire. Ce groupe s'appelait « 36 » : nous étions tous nés en 1936. Il a été actif de 1951 jusque vers 1953. Nous y publiions une revue dactylographiée, organisions des colloques et tenions même des congrès. Les 36 étaient divisés en sections (je me souviens de deux : la section politico-économique et la section littéraire) où nous menions des discussions entre jeunes. Quand j'y pense aujourd'hui, mes cheveux se dressent sur la tête : si nous avions eu cinq ans de plus, nous aurions tous pu finir en prison, car une activité pareille pouvait nous valoir vingt ans.

Jusqu'à mon service militaire j'ai écrit de la poésie qui, heureusement, n'a jamais été publiée. J'aime me rappeler cette époque, bien que nous fussions harcelés et persécutés. Mais c'était le temps des premières découvertes excitantes, des valeurs cachées et de soi-même. Pourtant, partout dans les rues, on voyait les mêmes slogans, — ceux que l'on voit encore aujourd'hui —, dans les bibliothèques il y avait les mêmes livres, ceux de Pujmanová et de Fučík ; rien ne permettait de croire qu'il existait une autre culture que celle du réalisme socialiste, si puissamment soutenue par le régime. Pour des jeunes passionnés comme nous, découvrir « l'autre culture » était une vraie aventure. Concrètement, l'un des amis de mon père m'obtint un rendez-vous avec Jaroslav Seifert : je lui apportai mes premières poésies et je garde toujours la lettre où il m'en parle aimablement. Je ne me rappelle plus si, quand je suis allé le voir pour la première fois, j'étais seul ou accompagné de mes amis Jiří Kuběna et Miloš Forman, mais il est certain que nous sommes allés le voir ensemble à plusieurs reprises. Ensemble d'ailleurs, nous avons aussi rendu visite à Vítězslav Nezval ; ce fut assez comique, parce qu'il nous a reçus entre deux délégations officielles du Congrès mondial de la paix ! Cependant, il a été accueillant. A l'époque, je ne me dirigeais pas dans le sens de la poésie de Seifert (d'ailleurs, chaque génération qui a suivi le Devětsil a traversé sa période « anti-Seifert »). Un jour, je lui ai dit que j'aimais les poésies de Vladimír Holan et il m'a tout de suite envoyé chez lui en me disant que cela lui ferait certainement plaisir de me recevoir. J'étais un peu effrayé à l'idée que ce grand magicien de la poésie vivait réellement, à Prague, et que je pourrais le rencontrer. Je suis donc allé chez Holan à Kampa et, par la suite, j'y retournai à peu près chaque mois, toujours avec une bouteille de vin, bien sûr. Cela a duré jusqu'en 1956, quand j'ai cessé de le fréquenter. Entre autres parce que ses propos antisémites me gênaient. Je ne pense pas qu'il ait été un vrai antisémite, mais il a probablement cru nécessaire de confirmer, par ce type de propos, sa conversion au catholicisme (mon ami Zdeněk Urbánek objectera certainement qu'il n'y a qu'une seule sorte d'antisémitisme et qu'il est impossible de distinguer antisémitisme « humain » et antisémitisme « idéologique » : c'est tout à fait vrai, mais je pense que tu comprendras, cher Zdeněk, ce que j'ai voulu dire par cette formule malhabile).

Holan était un homme bizarre, presque diabolique. Pourtant, dans une certaine mesure, nous étions devenus amis. Nous avons même fêté ensemble son cinquantième anniversaire à Všenory en buvant du vin que lui avait envoyé (sans doute sous le poids du remords) l'Union des écrivains. Au cours d'une de nos visites à Kampa, peut-être même lors de la première (j'avais dû y aller avec Kuběna et Forman, sinon, je ne suis pas sûr que j'aurais eu le courage de m'y rendre seul), nous avions rencontré le poète Jan Zábrana, avec qui nous sommes depuis restés liés par une fidèle amitié. Plus âgé et plus expérimenté que nous, il nous parlait de valeurs que nous ne connaissions pas et qu'en fait nous ne pouvions pas connaître à ce moment-là. Il nous parlait du « Groupe 42 », de Jiří Kolář, et d'autres auteurs interdits de publication. Evidemment, nous sommes arrivés à nous procurer, souvent d'une manière assez compliquée, ces ouvrages et ces revues anciennes qui nous ont immédiatement séduits. Le Groupe 42 est devenu pour nous le dernier acte vivant de la poésie tchèque et de l'art tchèque en général. Les premiers recueils de Kainar, de Kolář, de même que les essais de Chalupecký, représentaient pour nous une grande autorité et nous nous reconnaissions en eux. Naturellement, au fur et à mesure que nous découvrions ces livres, nous désirions rencontrer nos idoles et ainsi se répétait chaque fois l'excitante découverte des artistes condamnés au silence. Nous étions fascinés par l'idée que ces gens-là vivaient parmi nous et que nous aurions pu ne pas les connaître personnellement. Je me souviens par exemple de l'événement qu'a représenté pour moi, à la fin des années cinquante, la première rencontre avec Patočka. J'avais auparavant dévoré ses livres à la bibliothèque universitaire, bien qu'il fût interdit de les prêter, mais la bibliothécaire avait fermé les yeux. Ma première visite chez Jiří Kolář mérite aussi d'être contée : nous avions l'habitude de nous réunir avec quelques amis le samedi midi au café Slavia. Un jour, Viola Fischerová (la fille de J. L. Fischer) et moi avons décidé de rendre visite à Jiří Kolář. Nous avons obtenu son numéro de téléphone et Viola, la plus courageuse de nous deux, a appelé. Il a dit « Ça va, venez aujourd'hui à trois heures ». Nous restâmes au Slavia, attendant avec impatience jusqu'à deux heures et demie, et après nous être séparés de nos amis, nous sommes partis chez lui à Vršovice. Quelle surprise ! Sur le pas de la porte se trouvait un homme que nous venions de voir à une table voisine du Slavia et que nous connaissions si bien de vue ! Il y venait régulièrement, avec ses amis Kamil Lhoták, Zdeněk Urbánek, Vladimír Fuka, Jan Rychlík, Josef Hiršal et bien d'autres. Eh quoi, ce monsieur, que nous saluions comme on se salue entre habitués dans un café, était Jiří Kolář ! Il nous a alors montré les livres de cyclages, de collages, etc., qu'il réalisait avec Zdeněk Urbánek et d'autres, et qui, plus tard, ont donné ses nouvelles créations plastiques. Dès ce moment, — ce devait être en 1952 ou en 1953 — jusqu'aux années soixante, nous nous sommes assis, avec d'autres amis de ma génération, à sa fameuse table au Slavia. Plus tard, nous avons même travaillé ensemble dans le cadre de différentes manifestations semi-officielles à *Umělecká*

Beseda * que patronnait Kolář ou dans le cadre des publications samizdat d'alors. Dans le monde littéraire, mes meilleurs amis étaient Jiří Kuběna, Věra Linhartová, Josef Topol, Jan Zábrana et d'autres encore, qui avaient plus ou moins mon âge et qui, même s'ils ne publiaient pas officiellement, considéraient « l'autre culture » comme leur univers naturel. Nous comptions aussi parmi nous certains auteurs plus âgés et plus mûrs, mais qui n'avaient en fait encore rien publié, comme Hrabal ou Škvorecký. Le cercle de Kolář m'ouvrit de nouveaux horizons sur l'art moderne, mais avant tout, j'étais attiré, si je peux le dire aussi pompeusement, par l'univers éthique de l'écrivain. Kolář était un prêcheur très original qui comprenait les jeunes auteurs, et aidait spontanément, impérieusement, de sa manière amusante, tout ce qui apparaissait comme nouveau. Ainsi, ses idées et ses conseils ressemblaient parfois à des ordres. Il était sans concession face à la dimension morale et poétique de la littérature. On peut d'ailleurs s'en rendre compte à la lecture de son *Maître Sun*, cet important ensemble de règles que l'art poétique impose aux poètes. Si par la suite j'ai écrit en toute indépendance face à son influence et de manière différente de ce qu'il attendait de moi, je ne peux imaginer aujourd'hui mon activité, aussi bien dans ses aspects littéraires que civiques ou politiques sans les leçons de base sur la responsabilité intellectuelle qu'il m'a données. Ainsi, les années cinquante ont été une période un peu particulière, où je me suis naturellement retrouvé parmi ceux qui travaillaient à la limite de ce qui était autorisé et, le plus souvent, au-delà de cette limite. J'ai été parmi eux avant d'être arraché de la culture qui se manifestait publiquement et bien avant encore d'avoir fait partie de cette culture parallèle ; aujourd'hui j'observe de nombreux jeunes auteurs qui commencent à écrire, qui n'ont pas de passé littéraire ou politique compromettant, dont le nom ne se trouve sur aucune liste noire, et que rien donc n'empêche de se mettre en route vers le Parnasse en envoyant leurs textes aux revues existantes pour les publier ; eh bien, pourtant, ces jeunes auteurs choisissent, avec une évidence déconcertante, le samizdat. Leurs opinions, leurs

* Centre culturel (N.d.T.).

31

premières expériences existentielles et leur poétique sont si éloignées de tout ce qui est officiel qu'une publication dans une revue ou dans des maisons d'éditions officielles leur paraîtrait comme une trahison d'eux-mêmes. Je les comprends très bien, parce qu'à leur âge, ma situation était semblable : le monde de la littérature officielle m'était étranger, il ne m'intéressait pas et je me moquais de lui ; je trouvais cent fois plus important de participer aux événements que symbolisait la table de Kolář au Slavia que de publier. Deux ou trois fois, par curiosité, je suis allé au club de l'Union des écrivains où se déroulaient des débats ou des matinées littéraires ouvertes au public et je dois dire que je m'y suis toujours senti mal à l'aise. Et d'ailleurs, ce sentiment ne m'a jamais quitté, il a été plus fort que tout ce que j'ai vécu : par la suite, j'ai été longtemps membre de l'Union des écrivains. J'ai fait partie de ses différentes commissions, et je me rendais donc au club pour des raisons professionnelles, et pourtant ce sentiment de malaise me poursuivait. Malaise que je retrouvai quand je me rendis au château des écrivains à Dobříš.

Et pourtant c'est précisément là que, pour la première fois, vous avez attiré l'attention sur vous. Je pense à l'assemblée des jeunes écrivains organisée à Dobříš en automne 1956.

Oui, et cette histoire demande, de nouveau, une petite introduction autobiographique. En 1956, je ne travaillais plus au laboratoire, j'étais étudiant. Après mon baccalauréat, en 1954, j'avais introduit à plusieurs reprises une demande d'inscription dans différentes facultés où l'on enseignait les sciences humaines : l'histoire de l'art, la philosophie, la faculté de cinéma de l'Académie des arts (Milan Kundera était alors membre de la commission de sélection ; il était mon « agent », me soutenait, et je suis heureux de pouvoir le rappeler à cette occasion car, du fait de la polémique publique qui nous a plus tard opposés, certaines personnes s'imaginent que j'étais depuis toujours son adversaire professionnel ou son ennemi juré, ce qui est totalement faux). Mais je n'ai été accepté à aucune de ces facultés. Vu que nous étions nombreux à poser notre candidature, nos antécédents politiques jouaient un rôle considérable dans la sélection. L'année suivante, en 1955, mes tentatives pour faire des études dans un domaine qui me soit proche n'ayant pas abouti, j'ai failli devoir faire mon service militaire, ce dont je n'avais évidemment pas envie. Alors, en désespoir de cause (à quoi il faut sans doute ajouter la maladresse), j'ai envoyé une demande d'inscription à la Faculté d'économie de l'Ecole technique supérieure, dont les portes étaient grandes ouvertes à tout le monde et où j'ai été reçu, section Economie des transports. Je me disais que, par le biais d'études économiques, je trouverais bien le moyen de me rapprocher des sciences humaines. C'était une erreur et ces études ne m'amusaient pas. Il fallait suivre des cours techniques, comme par exemple le cailloutage, la construction des chaussées, etc. J'ai donc tenté de passer à l'Académie des arts, dans la section de cinéma ou de théâtre (plutôt de cinéma, je crois : j'ai essayé d'entrer une seule fois à la Faculté de cinéma où travaillait Kundera, il se peut donc que ce soit à ce moment-là qu'il ait agi en ma faveur), de toute façon, j'ai été refusé à nouveau et comme je n'avais plus envie ou, plus exactement, plus la possibilité de retourner à l'Ecole technique, je n'ai pu éviter le service militaire où j'ai peiné de 1957 à 1959. Mais nous ne sommes qu'en 1956. A ce moment-là, le climat social commençait à changer. C'était après l'historique XXᵉ congrès du parti communiste de l'URSS, après le célèbre IIᵉ congrès de l'Union des écrivains tchécoslovaques, où Seifert et Hrubín ont prononcé leurs discours courageux, c'était l'époque des premières manifestations estudiantines, des premières critiques timides à l'encontre des procès politiques des années cinquante. Tout laissait à penser que la frontière tranchée entre la culture officielle et la culture indépendante allait s'effacer. On espérait la publication d'ouvrages jusqu'alors interdits. Au congrès des écrivains, on avait pu parler de ceux qui avaient été exclus du parti, ou même emprisonnés. Si je ne me trompe pas, une des conclusions de ce deuxième congrès était précisément la création de *Květen*, revue destinée à la jeune génération des écrivains. Pour moi, cette revue faisait encore partie de la littérature officielle (la plupart de ses collaborateurs étaient communistes et exprimaient l'idéologie officielle), mais en même temps, je sentais qu'elle essayait de se débarrasser des schémas étroits du réalisme socialiste pour se rapprocher de la vie. L'idée de la « poésie de tous les jours » était née : elle se devait d'aborder des thèmes de la vie ordinaire, ceux qui échappaient fatalement — et les auteurs de *Květen* l'avaient senti — à l'image officialisée du monde. Le mélange de ces intentions avec l'idéologie dominante qui était la leur faisait que *Květen* était une revue bizarre, incohérente, inaboutie, voire hésitante et indécise. A mon sens, il y avait là quelque chose de flou, de lourd, de malhabile, bref, c'était très contradictoire. Cependant l'époque changeait et ces gens-là s'efforçaient de réaliser quelque chose de nouveau qui ne méritait pas que l'on se moque d'eux. Il me paraissait même possible d'entamer le dialogue. J'ai alors adressé à la rédaction de *Květen* une lettre, dans laquelle je formulais quelques réserves quant à la conception et au programme qui caractérisaient la revue — j'y demandais pourquoi ils ne réagissaient pas à l'héritage du Groupe 42 et pourquoi ils ne s'y référaient pas (peut-être même l'ignoraient-ils) —, alors que c'était justement le Groupe 42 qui avait ouvert la poésie aux thèmes urbains et à la vie moderne ! A ma grande surprise, la rédaction de *Květen* publia ma lettre. Du Groupe 42, dont l'étoile brillait officiellement encore peu d'années auparavant, ces anciens étudiants de littérature à l'université Charles ne savaient apparemment rien, mais ils étaient ouverts au dialogue et prêts à découvrir avec un certain retard ce qu'on leur avait tu à l'école. Ma lettre a provoqué une discussion dans les pages de *Květen* et je me suis retrouvé, grâce à ce premier texte publié, sur une liste d'écrivains débutants, à la suite de quoi j'ai été invité à la conférence des jeunes auteurs à Dobříš. J'y suis parti pour trois jours avec des sentiments mêlés. D'une part, j'avais une certaine répulsion envers ce milieu-là, je me demandais ce que j'allais y faire et, d'autre part, j'avais un sentiment de gêne, en tant qu'individu tout à fait inconnu dont on ne savait rien et dont on n'avait jamais rien dû lire, alors que le château était rempli de célébrités comme Majerová, Pujmanová, Drda, Kohout, et d'autres. Mon respect envers ces personnalités du monde littéraire se mêlait à l'aversion que j'avais pour eux. Mais je me suis dit que, puisqu'ils voulaient bien me nourrir pendant trois jours, je devais en profiter pour leur expliquer ce que j'avais contre eux. J'aurais trouvé malhonnête d'accepter leur invitation et de me taire. J'ai donc préparé un long exposé où je développais ce que j'avais timidement écrit dans ma lettre à la rédaction de *Květen*. Je savais qu'on n'allait pas me censurer au cours de mon exposé. Aussi je montrai l'ambiguïté et l'hypocrisie de leur relation à l'égard de la littérature opprimée : ils se déclaraient réformistes et voulaient « corriger les fautes du passé », « réparer les erreurs », « ouvrir les fenêtres à la vérité » et en même temps, ils craignaient de le faire, ils craignaient même d'en parler.

L'atmosphère qui régnait à cette conférence a été, dès le début, particulière et bizarre : en outre, cela se passait pendant l'intervention de l'armée soviétique à Budapest. De plus, rien n'avait apparemment été préparé : pas d'exposé introductif, pas de programme précis. La conférence a été ouverte, mais on a simplement demandé qui voulait la parole. Personne ne se manifesta, personne visiblement n'avait prévu un exposé, c'était le silence. Alors j'ai demandé la parole. Et je pense que ce que j'ai dit a marqué le déroulement de toute la conférence. La plupart des débats qui ont eu lieu aussi bien dans la salle que dans les couloirs reprenaient les sujets que j'avais abordés. C'était une situation grotesque car, malgré la présence de nombreux écrivains illustres ayant à leur compte nombre de leurs livres publiés, et la présence de journalistes et de critiques littéraires, pratiquement tous bien sûr membres du parti et de l'Union des écrivains, les débats se sont dirigés dans le sens donné par une personne tout à fait inconnue, un étudiant en économie des transports, qui était arrivé là Dieu seul sait comment. Quant à mon exposé, il provoqua des réactions contradictoires. On polémiquait avec moi, on me reprochait certains de mes arguments, tout en se justifiant et en même temps, on caractérisait mon discours de « courageux », « critique », donc comme une voix qu'il fallait écouter et prendre en considération. Ces tâtonnements reflétaient ceux de l'époque : le stalinisme avait été condamné, mais en Hongrie coulait le sang, en Pologne on venait d' « introniser » Gomulka qu'on avait pratiquement tiré de prison ; tout le monde ignorait quelle direction les événements allaient prendre — ce qui était vrai, ce qui était faux, ce qu'il fallait en penser. On se demandait même si on n'allait pas réhabiliter Slánský, dont la pendaison avait été réclamée publiquement et de façon emphatique peu d'années auparavant, par certains des participants mêmes de la conférence. Je me souviens de Madame Pujmanová qui s'étonnait de m'entendre parler à la tribune des poètes oubliés alors qu'à Budapest, la survie du socialisme était en question. J'ai répondu que je ne comprendrais pas qu'on organise une conférence prestigieuse sur la poésie sans qu'on puisse y parler des poètes tchèques. A la fin de ces journées, Jiří Hájek se lança dans un long verbiage dialectique dans lequel il salua la brûlante discussion que j'avais ouverte tout en posant ses limites et en réaffirmant que notre littérature serait toujours engagée et socialiste. Il conclut en disant qu'on avait tous encore beaucoup à apprendre et que l'essentiel étaient les œuvres.

Mon entrée dans la vie littéraire a donc eu un goût de révolte, et il en est encore ainsi aujourd'hui. Pour beaucoup de gens, je suis une personnalité contradictoire. Non que je l'aie voulu ; je ne suis pas un homme subversif, encore moins un révolutionnaire ou un « bohème révoltant », pour reprendre l'expression de Jindřich Chalupecký. Mais les événements font que je me retrouve dans cette situation. Il est d'ailleurs intéressant de noter qu'un certain nombre de ceux qui, de plus en plus éméchés, continuèrent à discuter avec moi tard dans la nuit en s'autocritiquant tout en m'accusant de trahison du socialisme, sont devenus plus tard mes amis et, aujourd'hui, rament avec moi sur la barque du samizdat.

Je dois dire que j'admire leur évolution. J'ai eu l'habitude de me considérer dès le début comme quelqu'un qui vit « en dehors » (et quand il m'arrivait d'être respecté, apprécié ou récompensé publiquement, je le prenais pour une exception ou une erreur) et mon exclusion de la vie publique au début des années soixante-dix ne m'a guère surpris. Les gens dont je parle étaient par contre bercés par le pouvoir, reçus par le Président de la République, décorés à vingt ans des médailles littéraires. Ils étaient effectivement « au soleil » ; leur chute a dû être d'autant plus douloureuse ! Mais progressivement, ils se sont rendu compte qu'il s'agissait non d'une chute mais au contraire d'une ascension — même s'ils l'ont payée cher — vers la liberté intérieure. Vers cette liberté dont ils étaient encore si loin à Dobříš.

Quels ont été vos premiers contacts avec le théâtre et pourquoi avez-vous décidé de vous y consacrer professionnellement ? Est-il vrai que cet intérêt a été éveillé par votre épouse ? Vous avez commencé votre carrière, si je ne me trompe pas, comme machiniste au théâtre ABC...

Comme je l'ai dit, j'ai suivi les cours à l'Ecole technique jusqu'en 1957, puis j'ai accompli mon service militaire pendant deux ans à České Budějovice, dans une unité de génie. A l'armée c'était dur, l'affectation au génie étant sans doute en rapport avec mes origines : en s'inspirant des pratiques soviétiques, on envoyait au génie les éléments considérés comme les moins valables de la population ; en effet, pendant les opérations militaires, ce sont eux qui précèdent l'armée et le pourcentage des pertes y est plus élevé. Il y avait là de jeunes garçons qui avaient déjà fait de la prison, ou des universitaires au dossier entaché. Mais c'est précisément à l'armée que j'ai eu mes premiers contacts avec le théâtre, et ceci au cours de circonstances assez particulières. A l'époque, on soutenait puissamment l'activité culturelle des forces armées ; chaque unité s'en servait comme carte d'identité pour se faire apprécier par ses supérieurs. Avec un ami simple soldat comme moi, Karel Brynda, aujourd'hui directeur du théâtre dramatique de Ostrava, nous avons fondé un théâtre militaire auprès de notre unité. La première année, nous avons mis au répertoire *Les nuits de septembre*, une célèbre pièce de Pavel Kohout, dans laquelle j'ai joué le rôle du méchant commandant Škrovánek. Evidemment, on s'amusait bien, nous faisions du théâtre avant tout pour être déchargés d'une partie des exercices. Je garde de cette période quelques bons souvenirs : je me rappelle, par exemple, comment le chef de notre bataillon, après avoir vu le spectacle, m'a appelé dans sa tente pour me dire que j'étais si réaliste en interprétant le méchant commandant Škrovánek, qu'il avait enfin compris ma vraie nature. J'ai essayé, en vain, de lui expliquer que le commandant Škrovánek était un officier ambitieux qui voulait devenir le chef du bataillon alors que mes intentions, bien différentes des siennes, étaient de me débrouiller le mieux possible, tant que je ferais mon service militaire. La façon dont il m'a puni a été plutôt agréable : il m'a déchargé de la fonction de responsable de l'obusier, fonction qu'il considérait comme honorifique, ce qui m'a libéré de devoir traîner, en plus de mes affaires, le mortier pendant les exercices de marche et de nettoyer la pièce tous les samedis.

La deuxième année de notre service militaire, nous avons décidé audacieusement, Brynda et moi, d'écrire une pièce à nous. Nous nous disions que notre ensemble attirerait plus l'attention et aurait des appuis supplémentaires si notre unité, suivie de toute la division, était représentée par une pièce originale, s'inspirant, en plus, de la vie à l'armée. D'après ce calcul rationnel, nous avons écrit une pièce parfaitement « réaliste-socialiste » et en même temps « audacieusement critique ». Il y avait de nombreux personnages, ce qui devait permettre au plus grand nombre possible de nos copains de jouer avec nous. A la différence des *Nuits de septembre*, notre pièce ne se déroulait pas dans le milieu des officiers mais parmi les simples soldats, ce qui nous rapprochait encore plus du peuple. Elle s'appelait *La vie devant soi* et eut du succès aux concours des théâtres militaires. Cependant, lorsqu'on nous a invités au concours du festival national des théâtres de l'armée à Marienbad et que nous risquâmes de l'emporter, on a ressorti à la Section politique centrale du ministère de la Défense nos dossiers personnels pour constater, à juste titre, qu'on se moquait d'eux ! La quinzième division motorisée nous a défendus avec un héroïsme digne de ses soldats, mais cela n'a servi à rien. Nous avons reçu l'autorisation de nous rendre à Marienbad pour jouer notre pièce, mais en dehors du concours et pour y être mieux dévoilés. Le lendemain de la représentation une sorte de tribunal a été organisé, qui a condamné notre pièce en la qualifiant de dangereuse par rapport aux intérêts militaires. L'analyse thématique a été présentée par un colonel (devenu plus tard un réformiste du parti — et un de mes amis — qui ne cessa plus dès lors de s'excuser pour cette mésaventure) qui nous a reproché d'avoir sous-estimé le rôle de la cellule communiste de l'unité ou encore d'avoir mis en scène un soldat qui s'endort pendant son tour de garde, ce qui, bien sûr, n'arrive jamais au soldat tchécoslovaque. Cela dit cette histoire nous avait amusés et nous avions été contents de passer une semaine à Marienbad, loin de nos casernes. Voilà donc ma première rencontre avec le théâtre. Je ne crois pas que je m'y fusse intéressé sérieusement plus tard sans l'influence de ma femme. Il est vrai qu'elle jouait dans des groupes d'amateurs, qu'elle allait souvent au théâtre et qu'elle connaissait ce milieu beaucoup mieux que moi, du moins avant mes premiers contacts avec lui. Elle était la composante « théâtrale » de notre couple. Mon intérêt pour le théâtre date surtout de mon retour du service militaire, quand j'ai commencé à travailler chez Jan Werich. C'est alors que j'ai cessé de faire de la poésie (si je ne compte pas un recueil de poèmes typographiques) et que je me suis mis à écrire des pièces de théâtre. Comment me suis-je retrouvé chez Werich ? Mon service militaire terminé, je ne savais pas très bien quoi faire : les études qui m'auraient intéressé m'étaient devenues inaccessibles (ma dernière tentative datait d'avant mon départ à l'armée, alors que par coïncidence j'avais voulu entrer à la faculté de théâtre de l'Académie des Arts), et mes tentatives de poursuivre les études techniques vouées à l'échec. Je ne savais pas s'il valait mieux aller travailler en usine ou chercher une profession quelconque, plus proche de mes centres d'intérêt. Heureusement, des proches de ma famille m'ont encore aidé : mon père connaissait depuis longtemps Jan Werich qui était un de ses amis et celui-ci m'a engagé au théâtre *ABC* comme machiniste

Qu'avez-vous retiré de cette expérience ?

Je suis persuadé que la saison que j'ai passée à l'*ABC*, a été décisive pour ma carrière théâtrale. En fait, c'était une saison importante : la dernière de Werich au théâtre. L'*ABC*, sous sa direction, représentait encore le prolongement de l'esprit du *Théâtre libéré* et ainsi j'ai pu goûter, au dernier moment, à son atmosphère. J'ai compris, et je pouvais l'observer chaque jour « de l'intérieur », qu'un théâtre n'est pas uniquement une entreprise de représentation de pièces ou une simple addition de metteurs en scène, d'acteurs, d'ouvreuses, de salle et de

39

public, mais quelque chose de plus : un foyer vivant, un lieu où se réalise une prise de conscience sociale, un point où interfèrent les influences de l'époque tout en étant son séismographe, un espace de liberté et un outil de la libération de l'homme. Chaque spectacle peut créer un événement social vivant et unique, dont l'importance réelle dépasse de loin l'apparence. Je me souviens des célèbres intermèdes de Werich et Horníček devant le rideau durant les changements de décors. Même si nous les connaissions presque par cœur, nous revenions pour les voir chaque soir, tout comme les musiciens de l'orchestre de Karel Vlach, pourtant souvent de vrais ignares, qui préféraient rester à les écouter de la fosse d'orchestre que d'aller boire un verre avec les accessoiristes. Que rayonnait-il de ces dialogues, comment se faisait-il que tout le monde en était si émerveillé ? C'était quelque chose d'indéfinissable, quelque chose de mystérieux, et en même temps de profondément théâtral, quelque chose qui me rassurait quant à la raison d'être du théâtre. Un courant spirituel et affectif passait entre la salle et la scène. Ce champ magnétique, je ne le connaissais pas encore et il me fascinait. Comme je l'ai dit, c'est alors que j'ai commencé à écrire sérieusement des pièces de théâtre (je dis « sérieusement » parce que *La vie devant soi* n'était au fond qu'une farce) et, bien sûr, rien que pour moi. La première, une pièce d'un acte à la Ionesco, s'appelait *La soirée en famille*, suivie par la première version de *L'avertissement*. En même temps, j'écrivais, avec l'impertinence de mon jeune âge, des textes théoriques pour la revue *Divadlo (Le théâtre)*. (Je me souviens de Werich se tournant vers moi entre deux entrées en scène et disant : « Alors, jeune homme, on écrit aussi sur le théâtre ? » J'ai acquiescé. Et Werich : « L'article sur Horníček et moi est parfait, je l'ai envoyé à Voskovec en Amérique. » Puis il regagna la scène. J'étais gonflé d'orgueil et m'en suis nourri pendant une semaine.)

Pourtant, malgré l'atmosphère suggestive de l'*ABC*, j'étais tenté par quelque chose d'autre : par les petits théâtres en train de se créer, et surtout par le *Théâtre sur la balustrade*. Ceux qui y travaillaient m'étaient proches par leur âge, on n'y ressuscitait pas un passé mais on cherchait une poétique nouvelle. Et j'avais l'espoir d'y devenir autre chose que machiniste.

Quelle était la situation dans les théâtres tchèques à la fin des années cinquante, au moment de la création des petits théâtres ?

Dans les années cinquante, il n'existait en Tchécoslovaquie que les grands théâtres officiels où l'on donnait des pièces du répertoire classique. Excepté quelques créations originales qui attiraient le public, les gens y allaient surtout pour voir des pièces satiriques. On y critiquait plus ou moins superficiellement les défauts et les faiblesses humaines (qu'on appelait « les survivances du passé »), la bureaucratie, la corruption : il s'agissait du théâtre hérité de la tradition soviétique. L'un des spectacles les plus réussis de ce genre, *Le scandale dans la galerie d'art* de Jelínek, était donné au *Théâtre E.F. Burian*. Cependant, une pièce satirique ne pouvait être représentée qu'à une condition : que son auteur, tout en critiquant les défauts de la société, s'identifie à tous les autres aspects positifs de la vie sociale et aux objectifs qu'elle était, pour ainsi dire, en train de réaliser. Les auteurs étaient donc des communistes qui s'identifiaient avec l'idéologie dominante et qui s'attaquaient aux maux dont souffrait la société, en s'appuyant sur leur vision personnelle des idéaux et de leur application.

Les petits théâtres et les cabarets avaient une longue tradition chez nous (il suffit de rappeler les théâtres *Dada, le Théâtre libéré, Le sept rouge* et d'autres), mais après 1948 ils avaient cessé d'exister. Le seul fil qui les reliait à la période de leur renaissance (fin des années cinquante, début des années soixante), était précisément le *Théâtre ABC*. Celui-ci représentait une oasis de production tout à fait différente des impératifs idéologiques et esthétiques de l'époque, par rapport à la satire sociale, car on y maintenait la tradition de l'humour, du raccourci poétique, de l'improvisation, de la farce et de la clownerie. La renaissance des petits théâtres tire ses origines vers la fin de 1956, quand le groupe *Akord klub* a commencé à jouer dans la salle de *La Reduta*. C'était en fait le premier groupe de rock connu en Tchécoslovaquie, son apparition représentait donc un phénomène extrêmement intéressant et important. Le chef en était Viktor Sodoma, le père du chanteur de musique pop qui s'est fait connaître plus tard; une des chanteuses du groupe était sa femme, et à la contrebasse jouait Jiří Suchý. Ils donnaient à *La Reduta* des concerts de nuit, ils jouaient les rock and roll célèbres de l'époque avec leurs propres textes et leurs propres compositions. Suchý chantait *Blues des agriculteurs, Blues pour toi,* bref ses plus anciennes chansons. On pouvait dire que tout Prague se pressait dans la petite salle de soixante personnes, c'était un véritable événement. J'ai eu la chance de m'y retrouver aussi et j'ai vite compris qu'il s'y passait quelque chose d'important. Il faut dire que je n'étais pas un bon connaisseur de cette musique mais il n'en fallait pas tant pour savoir que c'était autre chose que les chansonnettes officielles qu'on entendait partout. La différence tenait bien sûr dans la musique rock, dans son rythme inédit chez nous, et surtout dans les textes. Les chansons de Suchý pouvaient avoir un rapport avec les paroles des chansons écrites avant la guerre par Voskovec et Werich, elles pouvaient faire penser à Morgenstern, mais elles ne rappelaient en rien la production officielle de l'époque. Bref, elles étaient inspirées par une fantaisie, par un humour, un vécu, une pensée, un langage différents. L'ambiance qui régnait à *La Reduta* était merveilleuse, marquée par la complicité qui donne au théâtre sa spécificité, du moins à mes yeux. C'est donc là que tout a commencé.

Le *Théâtre sur la balustrade* a été créé en 1958, pendant mon service militaire. Sa fondatrice était le metteur en scène Helena Philipová, qui a trouvé la salle et a proposé à Suchý d'écrire une pièce qui pourrait y être jouée et qui transférerait l'ambiance de *La Reduta* sur les planches. Suchý est allé voir Ivan Vyskočil, une personnalité très importante de l'époque, et ils ont écrit ensemble une revue intitulée *Si c'étaient mille clarinettes.* Plus précisément, Jiří Suchý l'a écrite en utilisant les textes de Vyskočil. Ainsi est né le premier spectacle du *Théâtre sur la balustrade.* Parmi les acteurs, ne se trouvait aucun professionnel. J'ai vu ce spectacle au cours d'une permission et je ne me souviens plus si je l'ai aimé ou non. Par contre je sais que j'étais fasciné par l'ambiance qui y régnait. Il faut dire que ce théâtre ne ressemblait guère à ce qu'il est aujourd'hui · dans un coin de la salle se trouvait un immense poêle à charbon, sur les murs clignotaient de petites lampes que nous appelions les « kondelík », certains spectateurs se tenaient debout sur la balustrade pour regarder la scène par les fenêtres (ma femme qui y travaillera plus tard comme placeuse en souffrira) ; tout cela rappelait une sorte de cabaret. (D'ailleurs, il me semble, sans que je sache exactement pourquoi, que le genre de théâtre qui m'attire depuis toujours doit avoir quelque chose de bizarre, de frivole, d'un peu suspect.) Bref, que cette représentation ait été bonne ou médiocre, peu importe aujourd'hui ; il est cependant certain qu'elle brillait par le plaisir du jeu des acteurs, par la liberté, par l'humour pur, par l'intelligence. Ce théâtre ne se prenait pas au sérieux et les spectateurs en étaient enchantés. Quelque chose de nouveau était né, quelque chose qui n'avait pas d'égal à l'époque.

Comment se fait-il qu'après une saison passée au théâtre ABC *vous vous êtes retrouvé à* La Balustrade ?

Je m'en souviens très bien. La revue *Kultura 60* m'avait demandé un article sur les petits théâtres pragois. Je l'ai fait et j'aimerais en citer quelques passages ici car ils me semblent intéressants, même vingt-six ans plus tard : « Dans le regard de la critique, les petits théâtres à Prague, comme *La Balustrade*, *Le Sémaphore* et *Le Roccoco*, commencent à dépasser en importance les petits centres d'amusement intellectuel et sont considérés aujourd'hui comme un phénomène théâtral sérieux. Ajoutons à cela qu'ils sont aussi un phénomène symptomatique du moment : le besoin et la vogue de la forme dramatique qu'ils représentent démontrent le changement de la sensibilité actuelle. (...) Leur caractère est donné avant tout par l'humour qu'ils pratiquent. C'est un humour du concret, auquel nous trouverions dans l'art moderne toute une série d'antécédents, mais dans la situation d'aujourd'hui il est nouveau, plus précisément inhabituel. Il utilise le raccourci et le signe et ainsi, il demande une plus grande participation du spectateur, au point qu'on parle d'humour intellectuel. Pour le définir, on pourrait parler d'humour absurde, ce qui signifie, en comparaison avec la satire dont le principe est la déformation du sujet concret, qu'il prend la réalité à l'envers. (...) Le thème central de ces comédies, développé librement, n'a pas nécessairement une relation directe avec la réalité. Il s'agit le plus souvent d'une hyperbole ou d'une allégorie au service d'une idée critiquant la société ou la morale. Et quant aux moyens dramatiques utilisés, la caricature se mêle avec la chanson, la farce avec le raccourci scénique, le feu d'artifice des plaisanteries éthymologiques avec la poésie de l'évidence. »

Quand on compare votre article avec les critiques peu scrupuleuses de la Gazette littéraire *par exemple, la différence est frappante.*

Je ne me souviens plus de ce qu'on écrivait dans la presse au sujet des petits théâtres, mais je savais bien qu'il fallait les défendre. Pour moi c'était facile. Comme je ne portais pas sur moi le fardeau des différents impératifs idéologiques avec lesquels on analysait l'art à l'époque, je me situais corps et âme de leur côté. Pourquoi ai-je cité mon article d'alors ? Après sa publication, la rédaction de la revue a organisé un débat, auquel ont été invités les représentants de ces théâtres : Suchý, Vyskočil et d'autres. Grâce à cela j'ai fait leur connaissance. J'ai pris un rendez-vous avec Vyskočil, qui était le dramaturge du *Théâtre sur la balustrade* (Suchý venait de créer son propre théâtre, *Le Sémaphore*), je lui ai passé ma *Soirée en famille* et il m'a proposé une place : je travaillais toujours comme machiniste, cependant j'avais un réel espoir de participer plus activement au travail dramatique et artistique du groupe. J'ai accepté, bien sûr, et après avoir tout expliqué dans une lettre à Werich, j'ai été engagé au *Théâtre sur la balustrade* lors de l'été 1960.

A ce moment-là commence une nouvelle étape de votre vie...

Effectivement, pour moi ce fut une étape très importante, non seulement parce que les huit années passées au *Théâtre sur la balustrade* vont être consacrées exclusivement au théâtre tel que je l'aimais, ce qui ne devait plus se reproduire, mais surtout parce qu'au cours de cette période s'est achevée ma formation d'auteur dramatique. Je me suis adonné entièrement à mon travail, avec un enthousiasme presque naïf. Je passais au théâtre des journées entières, du matin au soir, et la nuit, assisté par mon épouse, je fabriquais les décors. C'était une sorte d'étourdissement permanent et joyeux. Après quelques temps je me suis calmé, je suis devenu plus réaliste; cependant, jusqu'en 1968, année où j'ai quitté *Le Théâtre sur la balustrade,* j'ai partagé entièrement ma vie avec lui, en m'y identifiant; j'étais un de ceux qui ont forgé sa personnalité. Administrativement j'ai assumé des fonctions diverses : machiniste, éclairagiste, secrétaire, lecteur, dramaturge. Et je remplissais souvent toutes ces fonctions à la fois. Le matin j'organisais les voyages de notre troupe, le soir je m'occupais de l'éclairage, la nuit je copiais des pièces.

S'il fallait écrire l'histoire du Théâtre sur la balustrade *et définir le rôle qu'il a joué dans la vie culturelle de Prague, qu'en diriez-vous et quelle serait votre conclusion ?*

Le temps que j'ai passé à *La Balustrade* pourrait être divisé en deux périodes. La première est liée à l'activité d'Ivan Vyskočil, une personnalité clé pour ce qui est des petits théâtres des années soixante. Vyskočil a été un des parrains de ce mouvement. C'est un homme particulier, bizarre, concentré sur lui-même. Il est difficile de collaborer avec lui car il supporte mal d'être entouré de gens dynamiques (d'ailleurs, la plupart de ses collaborateurs, souvent importants, l'ont quitté après une brouille). Pourtant, son rôle n'a pas encore été suffisamment apprécié. Il a donné au théâtre quelques-uns de ses aspects fondamentaux : premièrement — ce qu'on appelle l'humour intellectuel. Deuxièmement — sa fantaisie créatrice originale. Troisièmement — sa culture (il a une formation philosophique et psychologique). Quatrièmement — le sens de l'absurde. Cinquièmement — des impulsions esthétiques jusque-là inhabituelles au théâtre. Le sens du jeu se multipliait chez lui par l'obsession, le sens de l'humour, par la philosophie. Son besoin de développer une idée jusqu'à l'absurde et de la pousser le plus loin possible était contagieux. Il avait ses propres théories de l'anti-théâtre, du non-théâtre, de la négation du théâtre ; il a été hanté par le besoin de saisir l'acte théâtral dans son état de naissance. Une fois il essayait d'intégrer les spectateurs dans la pièce, une autre fois il ne jouait que pour lui-même. Il s'intéressait au drame psychologique. Il ne cessait de chercher, d'inquiéter, d'obséder. Son influence a été multiple, c'est lui qui a inventé les text-appeals (excellents, notamment ceux qui ont suivi les premières représentations du *Théâtre sur la balustrade*). Mais il faut dire qu'en tant que praticien, il était impossible. Il ne cessait de promettre de nouvelles pièces mais n'apportait jamais rien (parler l'amusait plus qu'écrire). Il se désintéressait de l'organisation du théâtre. Parfois il avait des idées folles ; un jour il a dit « demain on va essayer ce qui nous viendra à l'esprit », et il n'est même pas venu. C'était pourtant lui le responsable artistique du groupe. Il n'a jamais considéré le théâtre comme une institution qui doit jouer chaque soir pour le public, alors qu'on ne touchait aucun subside. Il choisissait les acteurs selon la loi du hasard, sans les voir, sans leur avoir parlé ; le plus souvent d'ailleurs ce type de théâtre ne leur convenait pas du tout et ils ne cessaient de se révolter. Si au moins il ne s'était occupé que de ce qui l'intéressait et avait laissé le travail aux autres, on s'en serait sorti. Mais il ne voulait pas. Cela ne pouvait que mal finir. Je lui ai été reconnaissant de m'avoir amené au *Théâtre sur la balustrade* et j'ai essayé de rester loyal envers lui jusqu'au dernier moment. Mais c'était difficile et, hélas, nous nous sommes quittés en mauvais termes. Beaucoup plus tard, à mon retour de prison en 1983, je suis allé voir un de ses spectacles ; nous nous sommes alors revus pratiquement vingt ans après et il a été très amical. Je pense que notre discorde a été oubliée avec le temps.

Après une brève période de tohu-bohu, on a engagé — je crois que c'était au cours de la saison 1961-1962 —, Jan Grossman, en compagnie duquel a commencé la deuxième période de ma collaboration avec le *Théâtre sur la balustrade*. Je connaissais Grossman depuis longtemps déjà et je l'estimais beaucoup. C'était un excellent théoricien et critique, un dramaturge expérimenté qui aimait le théâtre, qui percevait très bien le contexte culturel et intellectuel et qui est devenu par la suite un brillant metteur en scène. Grossman a fait de moi ce qui avait été l'intention de Vyskočil : son collaborateur artistique le plus proche. Nous faisions tout le travail en commun, à commencer par le choix des acteurs, du répertoire, des metteurs en scène jusqu'aux solutions des problèmes de tous les jours. Si Ivan Vyskočil a créé le *Théâtre sur la balustrade* et en a déterminé le caractère, Grossman l'a développé au point qu'on pourrait parler d'une « époque théâtrale ». J'ai eu la chance d'y participer et d'y contribuer. Les représentations les plus significatives furent *Ubu Roi* de Jarry, *En attendant Godot* de Beckett, les pièces de Ionesco, l'adaptation du *Château* de Kafka et mes propres pièces — *La fête en plein air, L'avertissement, Difficulté accrue de se concentrer.* Cette partie de l'histoire du *Théâtre sur la balustrade* s'est terminée en 1968. Par un concours de circonstances nous avons quitté le théâtre, d'abord moi, ensuite Grossman, pour des raisons qui n'avaient rien à voir avec la politique — mais il va de soi que nous en aurions été chassés tôt ou tard. Il aurait été impossible de continuer notre travail, on aurait vite eu à rendre compte du passé, notamment en ce qui me concerne à cause de mes différentes activités « extra-théâtrales ».

En dehors du mime Fialka, qui se produit au *Théâtre sur la balustrade* depuis ses débuts, on continue à y donner des pièces dramatiques. J'en ai vu quelques-unes récemment et je dois dire qu'elles étaient très bonnes. Néanmoins, le rôle que ce théâtre a joué dans les années soixante et la façon dont il s'est incrusté dans la conscience de son temps ont depuis longtemps disparu.

Et comment étaient les autres théâtres ?

Quant à la popularité et au retentissement, il faut d'abord citer le théâtre *Le Sémaphore*. Suchý et Šlitr avaient recréé l'atmosphère de leur temps, qui a sans aucun doute marqué toute notre génération. Je me souviens d'un de leurs spectacles au festival des petits théâtres à Karlovy Vary, où j'étais venu aussi avec notre *Balustrade* ; il s'agissait d'une de leurs représentations, intitulée *Zuzana*. Ce qui m'a le plus frappé, c'était son indifférence envers l'idéologie ; en fait il rendait dérisoires les débats passionnés que menaient les dogmatiques avec les anti-dogmatiques sur les pages de revues comme *Literární noviny*. On ne polémiquait pas, on ne parodiait pas non plus ; ce qui se passait sur la scène était quelque chose d'absolument différent et se dirigeait tout à fait ailleurs : une chanson suivait l'autre, il ne s'agissait apparemment de rien, sauf du pur plaisir du théâtre, du rythme, de l'amusement. Soudain, tous ces débats qui se prenaient terriblement au sérieux, semblaient s'auto-accuser de stérilité, de distance par rapport à la vie. C'était une vraie manifestation de la vraie vie qui se fichait des idéologies, des discours, de l'obéissance, des interprétations, des directives. Face au monde de l'apparence, face à la réalité remâchée s'est dressée soudain la vérité des jeunes gens qui voulaient vivre selon leur désir, danser comme ils avaient envie de danser, bref n'obéir qu'à leurs impulsions naturelles. Notre génération a été la première à se former en dehors des confrontations politiques des années cinquante, qui opposaient les fanatiques de l'Union de la jeunesse et ceux qui attendaient impatiemment le moment où « tout cela allait craquer ». *Le Sémaphore* me semblait l'émanation d'une des manifestations élémentaires et spontanées de ce que ressentait cette première génération non-idéologique. Il est indéniable que par sa popularité *Le Sémaphore* dépassait le *Théâtre sur la balustrade*. Certes, on jouait tous les soirs à guichets fermés, la salle était remplie surtout par des jeunes, mais c'était un public plus intellectuel qui se composait notamment d'étudiants. Dans un sens, *La Balustrade* était irremplaçable : son approche de certains sujets fondamentaux de l'époque était beaucoup plus profonde, ce n'était pas seulement un cri d'authenticité libérée, mais une volonté d'analyse.

Quant aux autres théâtres : *Le Paravent*, dirigé par J. R. Pick était un cabaret littéraire ; *Le Roccoco*, sous la direction de Darek Vostřel, était plus proche de la satire, dans un cadre de café-concert et malgré un certain nombre de représentations parfaitement professionnelles, entrait moins dans le courant des théâtres cherchant des voies nouvelles. On trouvait aussi de nombreux petits théâtres d'amateurs. *L'Y* de Liberec (devenu rapidement une troupe professionnelle), *L'X* de Brno, *Le Kladivadlo* (l'ancêtre de Club dramatique d'aujourd'hui), à Ústí nad Labem. Tous ces petits théâtres, je les connaissais assez bien parce que j'organisais régulièrement leurs tournées chez nous, à la *Balustrade.* Ils ont été suivis un peu plus tard par deux grandes scènes importantes du même genre, *Le théâtre derrière les portes (Divadlo Za branou)* de Krejča, et *Le club dramatique (Činoherní klub)* dirigé par Jaroslav Vostrý. Mais je ne voudrais pas, en parlant d'eux, m'éloigner trop de notre sujet. Je voudrais plutôt rappeler une autre chose : pour moi, ces théâtres font partie d'un mouvement beaucoup plus large qui s'est manifesté, dans notre société, au début des années soixante. Ils correspondent à la « nouvelle vague » dans le cinéma tchèque, aux films de Němec, Chytilová, Forman, Juráček et d'autres, et ce parallélisme avec des influences mutuelles était pour nous une évidence. D'autres parallèles peuvent être tracés par rapport aux arts plastiques : Medek, Koblasa, les Šmidr et beaucoup d'autres jeunes artistes commencent alors à exposer ; leurs œuvres se cristallisent hors des confrontations idéologiques et esthétiques, sans rapport aucun avec l'art officiel. Dans le domaine de la musique classique naquit le groupe « Nouvelle musique » (Kopelent, Komorous, Kotík), dans la musique « légère » arriva la vague du beat tchèque, dont le sommet se situe à la fin des années soixante. Knižák organisa avec ses amis des happenings ; Hiršal et Grögerová firent des recherches dans le domaine de la poésie concrète ; Linhartová, Hrabal, Škvorecký et Páral publient leurs premiers livres ; au Théâtre National on donne des pièces de Josef Topol. La nouvelle génération des poètes se regroupe autour des revues *Tvář* et *Sešity.* Etc., etc. Cette irruption de l'art « non-idéologique » se réalise grâce à une situation favorable due à l'émancipation accélérée des sciences humaines — et cette émancipation s'en trouva en même temps inspirée et accélérée : la philosophie, l'historiographie et d'autres sciences se libèrent des liens rigides du dogmatisme.

Et encore autre chose : le théâtre est toujours un indicateur sensible de son temps, peut-être le plus sensible de tous. C'est une sorte d'éponge qui s'imbibe des différentes composantes de l'atmosphère qui l'entoure. C'est pourquoi le mouvement dans le théâtre dont je parle ne peut être séparé de l'ambiance qui régnait à l'époque. La vie à Prague était différente de celle d'aujourd'hui. Si maintenant vous passez un samedi soir par la rue Nationale vous n'allez croiser que cinq flics, cinq hommes qui vous proposeront de changer des devises et trois ivrognes ; il y a vingt ans, ces rues étaient pleines de gens qui s'amusaient et faisaient autre chose que regarder la télévision. Dans les cafés et les auberges, on pouvait rencontrer des acteurs, des peintres, des écrivains, partout on tombait sur des amis, on était plus à l'aise, plus libre. L'humour, l'ingénuité, l'espoir faisaient partie de la vie de tous les jours, les gens se lançaient dans des projets, les réalisaient ou échouaient, mais Prague n'était pas encore écrasée par la lave de l'indifférence, ni figée sous son poids, dans l'immobilité. Paradoxalement, c'est à ce moment-là qu'on s'occupait de l'absurde, parce que les questions de l'Etre ne nous laissaient pas indifférents. Tout cela se reflétait sur les scènes des petits théâtres. Ceux-ci en étaient une des expressions significatives, et en même temps ils servaient d'intermédiaire au processus spirituel que j'appelle « la prise de conscience et l'affranchissement social » ; ce qui a abouti inévitablement aux changements politiques de 1968.

En quoi consiste, selon vous, la différence esthétique entre les petits théâtres d'alors et le théâtre traditionnel ?

J'ai déjà évoqué un de ses caractères : l'absence d'idéologie, le fait qu'ils se situaient hors des structures officielles. Nous ne nous occupions pas des explications du monde, des slogans, nous ne voulions pas donner de leçon. A première vue ce n'était qu'un jeu — mais ce « jeu » touchait étonnamment à la nervure de l'époque, à l'existence humaine, à la vie sociale. Et même si ce n'était pas toujours le cas, il y réussissait, du moins dans les meilleurs moments. De l'humour que nous avons pratiqué, on disait qu'il était pur, autotélique, que c'était du dada ou de l'art pour l'art, et pourtant, cet humour, sans relation apparente avec « l'actualité brûlante », exprimait précisément — bien qu'à sa manière et indirectement — ce qui était le plus « brûlant » : l'essence de l'homme. Sans qu'ils fussent nécessairement des intellectuels, les spectateurs sensibles devaient comprendre que les improvisations les plus grotesques de Vyskočil touchaient à ce qu'on ressentait comme fondamental, au principe même du phénomène théâtral, au mystère de la vie, aux sentiments aussi importants que la

qui s'enterre dans le sable sur la plage (*Les jours heureux*). Cependant, il ne s'agit pas de scènes de la vie réelle mais des formes fondamentales de l'effondrement humain. Le discours n'est pas philosophique, comme chez Sartre par exemple, mais tout à fait banalisé. Cependant, par sa signification on y aborde des thèmes philosophiques. On ne peut pas prendre ces pièces littéralement, elles n'illustrent rien. Elles ne font qu'attirer l'attention sur les horizons ultimes des sujets qui nous concernent tous. Elles ne sont pas emphatiques, pathétiques ou didactiques. Leur comique ne se veut pas spirituel. Elles connaissent le phénomène de l'embarras. Souvent on se tait ou on dit n'importe quoi. Celui qui veut, peut les regarder comme une sorte de comédie. Ces pièces ne sont pas — et c'est important — nihilistes. Elles ne sont que des avertissements. Elles posent devant nous, d'une façon funeste, le problème du sens, en représentant son absence. Le théâtre de l'absurde ne propose ni consolation, ni espoir. Il nous rappelle simplement notre vie : elle est sans espoir. Tout cela contient un message d'avertissement. Je trouve que le théâtre de l'absurde illustre à sa manière (qui est d'ailleurs descriptible) les questions fondamentales de l'Etre telles qu'on les ressent aujourd'hui. Il ne veut pas exister pour expliquer aux spectateurs comment sont les choses. Il n'est pas insolent, il laisse à Brecht les leçons à donner. Un dramaturge de l'absurde n'a pas de clé à proposer. Il ne se considère pas comme mieux informé ou plus conscient de la réalité que son spectateur. Il se sent obligé de formuler ce qui fait souffrir tout le monde et de rappeler d'une manière suggestive le mystère devant lequel nous restons tous impuissants. J'ai déjà beaucoup écrit sur le phénomène du théâtre de l'absurde et je ne veux pas me répéter ici. Je voudrais juste ajouter que le théâtre de l'absurde en tant que tel — c'est-à-dire en tant que courant de la littérature dramatique — n'a jamais été programmé dans les petits théâtres des années soixante, même pas au *Théâtre sur la balustrade*, qui par son répertoire lui était le plus proche. Mais l'expérience de l'absurde existait, elle était profondément ancrée dans les tripes de tous ces théâtres. Non pas transmise par des courants littéraires de l'époque, elle était « dans l'air ». C'est d'ailleurs ce que j'apprécie le plus dans le théâtre de l'absurde : il a été capable de saisir ce qui était « dans l'air ». Et je ne peux pas m'empêcher de faire cette boutade provocante : si le théâtre de l'absurde n'avait pas existé avant moi, il me semble que j'aurais dû l'inventer.

Que diriez-vous des petits théâtres en Tchécoslovaquie des années soixante en comparaison avec ceux d'aujourd'hui ?

Le théâtre sur la corde, Le théâtre de Haná, Le théâtre en marge, Le Studio dramatique, ainsi que quelques nouveaux théâtres d'amateurs, représentent un phénomène important et dans une certaine mesure proche de ce qui se faisait dans les années soixante. Ils témoignent d'un nouveau mouvement spontané venant d'en bas, d'une indépendance par rapport aux structures officielles et idéologique, et du contact vivant avec le public. C'est le signe d'un éveil de la société, d'une évolution qui n'apparaît pour l'instant que dans ses couches profondes et qui se manifeste toujours d'abord au théâtre. Je suis avec intérêt la production de ces petits théâtres et elle me réjouit. Il m'arrive même d'être moins critique que les jeunes spectateurs, ce qui est évidemment mieux que si c'était l'inverse. Si je devais dire en quoi diffère le mouvement d'aujourd'hui de celui des années soixante, lorsque je participais à la vie théâtrale, je soulignerais en premier lieu la supériorité du « comment » sur le « quoi ». La culture théâtrale, la fantaisie des scénographes et des dramaturges, les moyens utilisés me semblent beaucoup plus perfectionnés que de mon temps. De ce point de vue, nos spectacles paraîtraient probablement maladroits. Mais d'autre part, j'ai l'impression que le théâtre naguère parlait mieux, qu'il entrait plus profondément dans l'esprit du temps, qu'il était plus analytique, plus direct, plus transparent et plus efficace dans ce qu'il communiquait. Bien sûr, cela s'explique. D'abord par la censure et par la bureaucratie qui sont aujourd'hui plus vigilantes. On peut dire moins de choses que de mon temps et il est plus difficile de toucher au fond des problèmes. Cela oblige les théâtres à utiliser des codes, des symboles, des signes, des références indirectes et des parallèles ; parfois de manière si raffinée et si compliquée que, même celui qui, comme moi, essaie de rester très ouvert, n'y comprend rien. Ensuite il y a le décalage de la sensibilité humaine. Sa cause est plus profonde, elle est en rapport avec un mouvement général qui dépasse les frontières de la Tchécoslovaquie. Les années quatre-vingt sont différentes des années soixante, plus ingénues et plus transparentes. Aujourd'hui, un petit théâtre est beaucoup plus un théâtre de situations, d'actions, de mouvements, de métaphores, de signes, d'associations et de sentiments qu'un théâtre de pensées. Ses pièces sont des collages poétiques, des fantaisies au sens multiple, agissant sur les nerfs et évoquant les sentiments mais, par rapport à nous, s'adressant moins à l'intelligence des spectateurs. Les mouvements à peine perceptibles dans la culture étrangère se multiplient ici par le besoin de résister aux restrictions barbares de la politique culturelle. L'exagération des éléments externes de l'expression théâtrale est parfois liée au manque d'humour : le ton grave, emphatique et morne pour communiquer un sujet souvent beaucoup moins sérieux que celui que nous transmettions d'une façon beaucoup plus légère. J'aime bien un dicton utilisé par Jan Grossman. Il disait : il faut faire du théâtre sérieusement mais il ne faut pas le prendre trop au sérieux. Le problème principal du théâtre tchèque est qu'il se prend très au sérieux, alors que son niveau n'y correspond pas. Je ne veux pas dire que les petits théâtres d'aujourd'hui travaillent mal, leurs spectacles sont au contraire souvent parfaits, voire ciselés. Mais ils se prennent, à mon goût, trop au sérieux. Il suffit de lire les programmes ou les textes théoriques de leurs créateurs : l'apparence scientifique (plus souvent imitée qu'authentique) saute aux yeux et est irrésistiblement comique. Celui qui se prend trop au sérieux risque de devenir ridicule. Quand on sait rire de soi-même, on ne risque pas de paraître ridicule. J'ai l'impression que nous ne nous prenions pas tellement au sérieux. Si nous nous occupions moins de la théorie et de la philosophie de notre activité, c'est parce que nous étions probablement plus marqués par l'absurdité du vécu. Mais cela nous protégeait. Le sentiment de notre statut dérisoire dans ce monde, de notre incongruité, de notre médiocrité, de notre solitude, du grotesque de nos illusions était un outil de contrôle qui, sans le vouloir, nous empêchait de devenir ridicules. La brutalité, l'agressivité, l'exaltation, avec lesquelles certains dramaturges essaient de sortir du cercle vicieux de l'aliénation pour atteindre l'authenticité de l'Etre, peuvent en fait les conduire au ridicule simplement parce qu'ils résultent d'un « court-circuit ». Il me semble qu'on ne peut sauter aucune phase de la connaissance et que l'homme moderne doit suivre la spirale de son sentiment de l'absurde jusqu'au point ultime pour voir ce qu'il y a plus loin. Contourner cette expérience, la sauter ou l'éviter ne me semble pas possible.

En conclusion je voudrais souligner deux choses. Premièrement : toutes ces réflexions peuvent être la preuve de mon attachement à l'esthétique et à l'expérience théâtrale qui est le mien et qui m'empêche d'être suffisamment ouvert à ce qui est différent ou nouveau ; mais c'est le risque que courent tout ceux qui ont une opinion. Deuxièmement : elles ne changent en rien mes sympathies à l'égard des petits théâtres et ne concernent que certaines de leurs tendances particulières.

A la fin des années soixante, vous avez terminé vos études de dramaturgie à la Faculté de théâtre de l'Académie des arts. Que vous ont-elles apporté et quels sont vos souvenirs de ces années-là ?

Comme je l'ai déjà dit, j'ai présenté ma candidature à la Faculté de théâtre à la fin de mon service militaire. J'ai donc passé les examens d'admission en uniforme. Je me souviens d'avoir analysé la pièce de Nazim Hikmet, *L'excentrique*, et ceci d'une façon parfaitement marxiste : j'ai démontré, entre autres, comment la pièce illustre les quatre lois principales de la dialectique. Le jury n'en croyait pas ses oreilles et Nazim Hikmet n'en aurait pas cru ses oreilles non plus. František Götz, le célèbre doyen de dramaturgie tchèque qui présidait le jury, m'a téléphoné après l'examen pour me féliciter. J'ai donc réussi brillamment mais cela n'a servi à rien. Je n'ai pas été admis à suivre les études. Cependant, plusieurs professeurs de la faculté ont insisté pour que je fasse mes études et ont relevé mon cas. Après, lorsque je suis entré au *Théâtre sur la balustrade*, j'ai abandonné l'idée de faire des études de dramaturgie, étant donné que je travaillais déjà comme dramaturge. J'avais d'ailleurs d'autres préoccupations. Et à ce moment-là, il m'avait été proposé, sans que je fasse la moindre démarche, de suivre les cours par correspondance. J'ai dû accepter ; d'abord pour ne pas trahir ceux qui me soutenaient depuis des années, ensuite par égard pour ma mère qui souhaitait que mon frère et moi ayons un diplôme universitaire. J'ai terminé mes études sans grand effort (je n'avais d'ailleurs pas le temps de faire un effort spécial), même si j'ai obtenu une grande distinction. Mais excepté quelques cours intéressants (Vostrý, Stříbrný, Hornát), cela ne m'a pas apporté grand-chose.

Combien de pièces avez-vous écrites ? Pourriez-vous en faire une sorte d'aperçu bibliographique ?

Si je ne compte pas *La vie devant soi,* dont j'ai déjà parlé, ma première pièce est *Une soirée en famille,* qui date de 1956. Après mon arrivée au *Théâtre sur la balustrade,* j'ai écrit avec Ivan Vyskočil *L'auto-stop,* dont la représentation eut lieu en 1961, et avec Miloš Macourek un spectacle intitulé *Les meilleurs rocks de Madame Hermannová,* qu'on a donné, si je ne me trompe, en 1962. J'ai aussi écrit quelques scènes pour une revue poétique, *La tourterelle excentrique,* qu'on a également jouée à cette époque-là. La première pièce que j'ai écrite seul était *La fête en plein air,* dont la première eut lieu en 1963. En 1965 on donna mon *Avertissement,* que j'avais commencé à écrire en 1960 et que j'ai retravaillé plusieurs fois. En 1968, le *Théâtre sur la balustrade* a présenté ma nouvelle pièce, *Difficulté accrue de se concentrer.* Dans les années soixante j'ai encore écrit une pièce radiophonique intitulée *L'ange gardien.* Josef Kemr et Rudolf Hrušinský l'ont jouée à la radio mais je ne l'ai jamais entendue. Je suis également l'auteur d'une pièce télévisée, *Le papillon sur l'antenne* pour laquelle j'ai même reçu un prix de la Télévision tchécoslovaque, mais dont la programmation n'a pas eu lieu à cause de l'invasion soviétique. Elle sera toutefois présentée plus tard par la télévision ouest-allemande. *La fête en plein air* et *L'avertissement* ont été publiés par les éditions Mladá fronta (dans un volume comprenant, outre mes pièces, mes deux essais et un recueil de ma poésie typographique) sous le titre *Les protocoles. La fête en plein air* avait déjà été publiée avant cela chez Orbis qui a ensuite édité également *Difficulté accrue de se concentrer.* Ces trois pièces ont été publiées en annexe de la revue *Divadlo (Le Théâtre)* et rééditées récemment par Rozmluvy à Londres. Si cet aperçu se voulait complet, il faudrait encore ajouter le scénario du film tiré de *La fête en plein air* mais qui, heureusement, n'a pas été réalisé (heureusement, parce que son metteur en scène n'avait que très peu de choses en commun avec mon style) ; un autre scénario non réalisé, *Heart Beat,* (écrit en collaboration avec Jan Němec) ; un collage sonore, *Ma Bohême la belle* qui lui non plus n'a pas été réalisé (heureusement, cette fois-ci pour les rédacteurs qui me l'avaient commandé) et *L'escalier du grenier,* un spectacle composé à partir des textes d'Ivan Sviták pour *La Balustrade* et présenté, paraît-il, au café Viola. Dans les années soixante-dix, alors que je ne pouvais plus publier, j'ai d'abord écrit la pièce *Les complices* (1971) qui, je crois, est une pièce peu réussie, ensuite *L'Opéra de quatre sous (La grande roue,* 1972) et en 1975 deux pièces en un acte, *Audience* et *Vernissage,* auxquelles j'ai ajouté en 1978 une troisième, *La protestation,* avec le même personnage principal, Vaněk. En 1976 j'ai encore écrit une pièce, *L'hôtel de montagne.* Excepté *La protestation,* toutes ces pièces écrites pendant que j'étais interdit de publication ont paru aux éditions 68 Publishers à Toronto sous le titre *Le théâtre.* Par malchance, on y a joint une des premières versions des *Complices,* encore moins bonne que la définitive. En 1983, à mon retour de prison, j'ai écrit un « minidrame », *La faute* (publié par la revue *Svědectví*) ; en 1984 *Largo desolato* et l'année suivante *Les tentations.* Ces deux dernières pièces ont paru aux éditions Poezie mimo domov à Munich. *Largo desolato* avait déjà été publié à Paris, dans *Svědectví (Le témoignage).* Etant donné que j'écris des pièces de théâtre depuis vingt ans déjà, me rends compte qu'il n'y en a pas beaucoup. Pour être complet, je devrais ajouter que toutes mes pièces sont données dans des théâtres étrangers et publiées en traductions.

Comment avez-vous trouvé le sujet de La fête en plein air ?

Ici, l'impulsion originale est venue d'Ivan Vyskočil. Il avait l'habitude de raconter, dans des cafés où nous allions après les spectacles, des histoires sur des sujets divers. Lui-même n'en a jamais rien réalisé — du moins à l'époque dont je parle — mais il débordait d'idées qu'il développait au fur et à mesure qu'il parlait. Un jour, il m'a raconté quelque chose au sujet de relations, connaissances, protectionnisme, carrières et je me souviens qu'à la fin il m'a proposé d'utiliser ce thème. La pièce que j'en ai tirée n'a gardé cependant que très peu de points communs avec ce qu'il m'avait dit.

Il y a dix ans, peu avant votre quarantième anniversaire, vous avez dit dans votre entretien avec Jiří Lederer que dans la vie d'un écrivain arrive un moment où l'expérience originelle, qui l'a poussé à écrire, s'épuise et qu'il se trouve alors à un carrefour important où il doit soit répéter ce qu'il a déjà dit, soit trouver son « second souffle ». A quoi vous avez ajouté que vous vous trouviez déjà depuis un certain temps à ce carrefour et cherchiez votre « second souffle ». Comment le voyez-vous aujourd'hui ?

Je ne cesse de croire, et mon expérience me le confirme, que chaque écrivain, à l'âge de trente-cinq ans environ, se trouve à un carrefour. Ses premiers écrits puisent dans ce qu'il a vu, senti et compris quand il était jeune. Cette inspiration disparaît ou s'épuise et il se demande alors comment continuer. S'il ne veut pas multiplier mécaniquement la même chose, il doit se décider pour un changement radical. Ce n'est pas facile. Il s'attache évidemment à ce qu'il a déjà fait, à ce qu'il a déjà compris ; il entretient des liens solides avec sa propre « histoire littéraire », dont on ne peut se débarrasser facilement pour recommencer à zéro. De surcroît, il est devenu plus modeste, plus expérimenté, il a perdu sa virginité littéraire avec sa part d'insolence, de confiance en soi-même, avec sa capacité de perception encore très aiguë. C'est ce que j'ai toujours cru et c'est ainsi que je le vois encore aujourd'hui. A vrai dire, je ne suis pas certain d'avoir trouvé ce que j'appelle « le second souffle ». Après mes premières pièces qui appartiennent à cette heureuse époque d'inspiration de jeunesse et qui reflètent mon « expérience originelle du vécu », j'ai écrit beaucoup d'autres pièces, dont certaines que j'aime, mais je n'ai toujours pas la certitude de m'être vraiment « retrouvé ». Je ne peux plus écrire comme avant. J'ai changé, les temps ont changé, je m'intéresse à d'autres choses. Je

58

n'oserais pas dire que mon écriture est radicalement différente ; je ne cesse de chercher — et je cherche ce « second
souffle ». Qui sait si je le trouverai ? Qui sait si on peut le
trouver ? Qui sait si tout ce qu'on écrit après ne devrait pas
rester qu'une recherche des certitudes de jeunesse perdues ?

Vous avez récemment écrit, très vite après Largo desolato, *une nouvelle
pièce,* Les tentations. *Est-ce que ce n'est pas un signe du renouveau ?
Que pensez-vous de ces deux pièces récentes ?*

J'ai toujours écrit mes pièces lentement et difficilement. Les
nouvelles pièces ont suivi les précédentes avec deux ou trois
ans d'écart. Chacune d'elles avait plusieurs versions. Je les
retravaillais, recomposais, cela me donnait des soucis et parfois
je désespérais. Je ne suis certainement pas de ceux qui écrivent
avec facilité et spontanément. Un jour, il m'est arrivé quelque
chose d'étrange : en juillet 1984 j'ai écrit *Largo desolato* en
quatre jours et en octobre 1985 *Les tentations* en dix jours.
Quelque chose a dû réellement changer, quelque chose a
changé probablement en moi. Mais je n'en exagère pas
l'importance et surtout je me défends de tirer les conclusions
d'un simple changement de rythme dans mon travail. Cela ne
doit pas signifier quelque chose en soi, encore moins le
garantir. Pour l'instant, je suis d'avis que c'est le résultat de
l'influence de certains facteurs extérieurs. Un exemple : à mon
retour de prison j'ai été pendant longtemps psychiquement
affecté. Je souffrais de dépression, j'étais toujours préoccupé,
rien ne me faisait plaisir, tout se métamorphosait en devoirs
désagréables que je remplissais — qu'il s'agît de devoirs réels
ou fictifs — avec un acharnement taciturne et têtu. Un critique
autrichien a écrit autrefois sur une de mes pièces qu'elle était
née d'un désespoir profond et qu'elle résultait de l'effort fait
pour s'en sortir. Je me moquais alors de sa vision de l'auteur
dramatique. Maintenant je devrais m'excuser : il se peut que
j'aie écrit très vite, après avoir été libéré, pour me sauver, pour
fuir le désespoir, pour trouver une issue, pour me soulager par
rapport à moi-même. Autre chose, plus significative encore :
lorsque je suis sorti de prison, mon état se caractérisait (et se
caractérise encore) par la névrose obsessionnelle. Une de ses

manifestations, que connaissent probablement tous les dissidents, est la crainte éprouvée pour nos manuscrits. Tant qu'ils ne sont pas en sécurité ou copiés et distribués à plusieurs personnes, on vit dans la peur et dans l'inquiétude. Avec les années, ce sentiment, au lieu de disparaître, devient plus fort encore. Si, au début, on ne craint qu'une perquisition au domicile, et dans ce cas on dépose tôt le matin, avant que les perquisitions ne commencent, le manuscrit chez des voisins, plus tard cette peur se généralise. On craint d'être arrêté, de tomber malade ou de mourir, de se trouver dans une situation imprévue (plus vague est la notion du danger, plus la névrose est avancée) qui vous empêchera de terminer l'œuvre. Au fur et à mesure que celle-ci devient importante, la crainte s'accroît : on pourrait vous mettre des bâtons dans les roues juste avant d'arriver au but. Avec quel plaisir s'imagine-t-on le moment où le texte suivant ne sera pas encore commencé ! La prison évidemment contribue à cette obsession. Tout cela a dû laisser des traces : j'ai écrit les deux pièces avec une impatience grandissante, fiévreusement, comme en transe. Cela ne signifie nullement qu'elles sont inabouties, ce n'est que la conséquence de l'obsession qui me pousse à terminer au plus vite le travail commencé. Quand la pièce est cachée dans un endroit sûr, on peut me faire tout ce qu'on veut, je suis heureux et j'ai le sentiment d'avoir vaincu, pour une fois, le monde. Tant que j'ai les manuscrits sur mon bureau, je tremble de peur — non seulement pour ma pièce, mais pour moi-même, pour une partie de mon identité qui me serait, avec la perte de ce que j'ai écrit, irréversiblement arrachée. C'est ce que je tenais à dire en marge de ces deux pièces.

Quant à *Largo desolato*, il m'est arrivé à plusieurs reprises d'avoir utilisé (ou « abusé de ») l'un ou l'autre élément réel, ce qui m'a valu des reproches discrets ou directs de ceux qui se croyaient — à juste titre ou sans raison — concernés. Cela me peinait, naturellement, mais je n'ai jamais pour autant enlevé cet élément de mon texte ou décidé de ne plus m'en servir dorénavant. Quand une pièce a besoin d'un tel élément, je ne peux pas le refuser, je dois l'utiliser sans me censurer. Sinon ce serait une trahison de ma profession. L'écrivain ne doit pas seulement reconstituer l'Etre selon sa vision des choses mais lui servir de médium, s'ouvrir à sa dictée souvent imprévisible. Grâce à cela, l'œuvre peut dépasser son créateur et atteindre ceux qui se trouvent au-delà de son propre horizon. Ainsi, il m'est arrivé de blesser sans le vouloir. Dans *Largo desolato* tous ceux qui se sont sentis concernés peuvent voir que la justice divine s'est retournée contre moi : tout le monde, critiques étrangers compris, m'identifie au personnage troublé du docteur Kopřiva et exprime sa peine de me trouver en si mauvais état. Je dois respecter le principe selon lequel je ne censure pas les motifs et les thèmes qui m'inspirent, non seulement quand il s'agit des autres mais également quand il s'agit de moi-même. Evidemment, je savais d'avance dans quelle situation cela allait me mettre mais je n'avais pas le droit de ne pas m'y mettre. Ce texte s'inspire effectivement plus immédiatement de mes propres expériences que mes autres pièces. C'est valable non seulement par rapport aux divers éléments qui y sont utilisés mais surtout par rapport à son sujet : le désarroi de Kopřiva contient une part de mon propre désarroi, dans un certain sens c'est une image caricaturée de moi après la prison. Cependant, ce n'est pas une pièce autobiographique dans le sens où j'en serais le protagoniste. Elle se veut une parabole de l'homme, de « l'homme en soi ». Peu importe dans quelle mesure elle a été inspirée par mes expériences personnelles, l'essentiel est ce qu'elle dit aux gens sur leurs propres possibilités humaines. Si je me trouvais dans une situation aussi désespérée que Kopřiva, je serais incapable d'écrire, plus encore d'ironiser. Cela exclut, me semble-t-il, qu'on en parle comme d'une pièce autobiographique. Quant aux *Tentations*, à ce que je sache, on ne m'y a pas cherché. Pourtant, cette pièce est également inspirée de mes propres expériences, plus profondes et plus douloureuses encore que celles de *Largo desolato* (Ivan Jirous en a traité avec beaucoup de bonheur dans l'essai qu'il a consacré à ces deux pièces). Mais, pour plus de cohérence, je voudrais revenir en arrière. Mes pièces des années soixante ont voulu illustrer les mécanismes sociaux et la situation de l'homme écrasé par ces mécanismes. Elles parlaient de ce qu'on appelle aujourd'hui « les structures » socio-politiques et des gens à l'intérieur de ces structures. Le sujet de l'homme écarté des structures et qui les affronte en même temps — c'est-à-dire le thème de la dissidence — n'y apparaît pas. C'est compréhensible. Qu'on le veuille ou non, nous nous appuyons sur un terrain connu sans savoir où nous voulons en venir. Moi-même, je me trouvais dans ces « structures » (mon regard de l'extérieur les spécifiant, mais c'est une autre question). A cette époque je n'avais encore aucune expérience de la dissidence, du moins telle que je l'ai faite dans les années soixante-dix. Quand j'ai été à mon tour écarté de ces « structures », je me suis retrouvé dans la position d'un « dissident » et je me suis mis à les analyser (toujours d'ailleurs par ce même regard de l' « extérieur »). Le terrain sur lequel je m'appuyais a donc changé. Cela a donné une série de pièces avec le personnage de Vaněk. *Largo desolato* représente un homme insoumis qui est au bout. Après, il me semblait impossible d'aller plus loin. C'est pourquoi j'avais envie de commencer ailleurs, de puiser à une autre source, abandonnant le terrain de l' « expérience dissidente » (considérée — dans un certain sens injustement — comme trop exclusive). Je ne voulais plus me baser de façon apparente sur une expérience trop personnelle et réentendre dire que les dissidents ne sont capables d'écrire que sur eux-mêmes. J'ai donc décidé d'écrire à nouveau sur les « structures » comme si j'en faisais partie. Je voulais me retrouver dans l'ambiance de mes anciennes pièces, j'étais curieux de savoir ce que cela allait donner après tout ce qui s'était passé et face à notre situation présente. Ainsi j'ai déterminé l'espace de mes pièces. Ce qui devait le remplir, il faut en chercher les racines dans l'année 1977. Je me suis trouvé pour la première fois en prison et le thème de Faust me venait souvent à l'esprit. Je supportais très mal mon emprisonnement, même s'il ne devait pas durer longtemps. J'ignorais ce qui se passait dehors, je suivais dans les journaux la chasse aux signataires de la Charte 77. J'étais trompé par mes interrogateurs et même par mon avocat. Je souffrais de dépression parce que j'imaginais tous les ennuis et les malheurs que j'avais causés à de nombreuses personnes en étant l'un des initiateurs de la Charte. Je me chargeais d'une trop grande responsabilité, comme si les autres ne savaient pas ce qu'ils faisaient, comme si j'étais le seul coupable. Me trouvant dans ce mauvais état psychique, je commençai à comprendre, vers la fin de mon emprisonnement, qu'on me tendait un piège. Une formule, d'ailleurs innocente, ou du moins considérée par moi comme telle dans ma demande de libération, devait être déformée et publiée pour que je sois déshonoré. Je ne voyais pas le moyen de l'empêcher, je ne savais pas comment me défendre contre la diffamation. J'ai vécu des moments insupportables et en plus, il m'arrivait des choses bizarres. Si mes souvenirs sont exacts, j'avais reçu dans ma cellule comme livres de lecture, à la place de l'obligatoire *Loin de Moscou*, le *Faust* de Goethe et juste après *Le Docteur Faustus* de Thomas Mann. Je faisais des rêves insolites, j'étais poursuivi par des idées étranges. Je me sentais tenté par le diable — ce sentiment était très physique. J'avais l'impression d'être tombé sous sa griffe. J'ai compris que j'avais affaire à lui. Le fait qu'on puisse abuser de ce que j'ai écrit, de ce que j'ai pensé et de ce qui était juste m'a permis de comprendre que la vérité ne dépendait pas seulement de ce qu'on pense mais aussi des circonstances, des personnes auxquelles on s'adresse et des raisons qui nous poussent à la dire. C'est devenu un des thèmes des *Tentations*. (Cette expérience est décrite en détail dans mes lettres de prison n°s 138 et 139.) J'ai eu alors l'idée de reprendre le sujet de Faust et de l'utiliser à ma façon. J'ai recommencé plusieurs fois mais j'ai toujours abandonné ce sujet parce que je n'aimais pas ce que j'avais écrit. Jusqu'au dernier moment j'ai eu du mal à aborder ce thème multiple et presque mythique. L'année dernière, en octobre, j'ai eu une idée que j'ai développée ; j'ai d'abord dessiné, comme j'en ai l'habitude, les graphiques de mes personnages et des scènes, puis je me suis mis à écrire. Et effectivement, dix jours plus tard, j'ai terminé la pièce. Voilà comment j'ai écrit *Les tentations*. Il se peut que cette pièce représente pour moi une solution, que je me sois redécouvert à travers elle, il se peut qu'elle se situe au début d'une nouvelle étape de mon écriture (beaucoup de gens disent que c'est ma meilleure pièce, ce dont je ne suis pas en mesure de juger). Mais peut-être n'est-ce qu'une répétition de ce que j'avais déjà découvert, un résumé de ce que j'avais déjà écrit autrement. Je ne sais pas, je ne suis pas capable d'émettre un jugement objectif là-dessus et pour

Je connais Karel Steigerwald, je connais ses pièces, je connais également d'autres auteurs qui sont, selon moi, intéressants, qui ne se sont pas laissé enfermer dans le « ghetto des dissidents » (notamment parce que leur jeune âge ne le leur permettait pas) et qui sont autorisés à publier. Cela ne veut pas dire qu'ils soient soutenus, ils rencontrent souvent de gros problèmes et parfois sont à peine tolérés. Si je ne veux pas les nommer et si je ne veux pas parler de leurs travaux, c'est pour ne pas les exposer aux persécutions.

Vous êtes dans la situation d'une personne poursuivie depuis longtemps par le régime. Est-ce que cela ne mène pas à un « culte de soi » ? Quelles solutions trouvez-vous face à ce danger qui peut menacer tous ceux qui se trouvent dans une situation similaire ? Est-ce que cela ne présente pas un danger pour votre activité littéraire ?

Je n'ai pas l'impression d'être ainsi menacé. Cela résulte de mon caractère, de ma nature, de la manière dont je vis et écris. Je suis de ceux qui ne cessent de douter d'eux-mêmes, qui perçoivent les voix critiques avec un sentiment plus vif, plus attentif qu'une louange. Je reçois des expressions de sympathie, de solidarité, de respect, d'admiration, voire d'espoir. Je reçois des coups de téléphone d'inconnus qui me disent leur reconnaissance pour ce que je fais. Ces manifestations me font évidemment plaisir, je m'en réjouis car cela me rassure sur le retentissement de mon activité qui ne représente pas seulement une voix perdue dans le désert. En même temps, elles me mettent dans l'embarras car je me pose sans cesse la question de savoir si je mérite cette attention, si je suis capable de ne pas décevoir ceux qui attendent quelque chose de moi, si je peux répondre à ces exigences. Parce que, au fond, qu'est-ce que j'ai fait ? J'ai écrit quelques pièces, quelques articles, j'ai été emprisonné. Ces questions me reviennent sans cesse, ce sont mes sentiments qui démontrent, je crois, que le problème d'un « culte de soi » ne se pose pas pour moi. Mais il se peut que je me trompe, et ce serait alors à ceux qui m'entourent d'y répondre.

Dans la foulée des questions que vous vous posez et des craintes que vous ressentez, pensez-vous aussi à la vieillesse, avez-vous peur de la mort ?

Vous serez peut-être étonné, mais je n'en ai pas peur. Je rêve de ma vieillesse comme d'un temps de repos, quand on n'attendra plus rien de moi. Si la mort me dérange, c'est parce qu'elle m'empêchera de voir comment tout cela continuera et évoluera.

De quoi a-t-on besoin, selon vous, pour devenir écrivain ? Que répondriez-vous, par exemple, à mon fils de quinze ans, s'il vous posait cette question ?

Plus je suis vieux et plus j'ai d'expérience, moins je me sens capable de répondre à ces questions. Autrefois, avec l'autorité de la jeunesse, j'étais prêt à donner des réponses très larges. Ces temps sont malheureusement révolus et maintenant je suis devenu plus modeste. J'ai compris à quel point il est difficile de faire des déclarations de ce genre et combien nombreux sont les exemples qui les réfuteraient. De quoi a-t-on besoin pour devenir écrivain ? Avant tout on devrait connaître sa langue et l'estimer — mais même cela n'est pas certain : Vlasta Třešňák faisait des fautes dans une phrase sur deux et pourtant il est meilleur écrivain que ceux qui connaissent le tchèque, comme par exemple Pavel Eisner. Quand il m'arrive de recevoir de jeunes auteurs qui m'apportent leurs textes, je mets d'habitude l'accent sur l'assiduité, sur le zèle. Mais ce n'est qu'un conseil de circonstance qui relève du fait que de nombreux jeunes auteurs s'imaginent le métier d'écrivain comme quelque chose de tout simple. Ils sont dominés par un sentiment précis qui leur semble extrêmement important et inhabituel, et ils croient qu'il suffit de le décrire. Un jour j'ai demandé à Zdeněk Urbánek comment il s'explique le fait que tout le monde aime les poèmes d'Ivan Jirous, à commencer par les jeunes aux cheveux longs pour finir aux messieurs sérieux d'un âge certain. Et il m'a répondu ceci : Même si Jirous exprime l'expérience existentielle de l'underground, il le fait bien, ce n'est jamais bâclé, jamais approximatif, jamais négligé comme on le voit chez d'autres auteurs. Il n'y a rien à faire · la ténacité est nécessaire et on la paie. Être écrivain, ce n'est pas un métier comme les autres, une activité quelconque. Je ne pourrais rien répondre à votre fils. Il me faudrait lire ses premiers textes et ensuite je serais probablement capable de souligner l'un ou l'autre aspect de son écriture auquel il devrait faire attention.

Dans les pays occidentaux on entend parler de l'inquiétude de l'artiste d'aujourd'hui qui se sent socialement inutile. Vous êtes-vous senti parfois inutile, vous, écrivain tchèque ? Ou avez-vous pensé à la différence qui peut exister entre ce sentiment d'inutilité en Occident et chez nous ?

Je dirais que chez nous le problème est tout à fait différent. L'écrivain se sent chargé de multiples exigences, au point que cela devient un poids réel. Traditionnellement, on attend de nos écrivains quelque chose de plus que d'écrire des livres bons à lire. L'idée que l'écrivain est la conscience de sa nation est chez nous historiquement justifiée : les écrivains ont joué pendant des années le rôle des hommes politiques, le renouveau de la communauté dépendait d'eux, ils maintenaient la langue vivante, ils encourageaient une prise de conscience nationale, ils étaient les interprètes de la volonté de la nation. Cette tradition, dans les conditions totalitaires qui sont les nôtres, reçoit en plus une coloration particulière. Le mot écrit semble encore plus radioactif que le mot dit — sinon il ne serait pas un délit pour lequel on nous emprisonne. Je pense que de nombreux collègues étrangers pourraient nous envier ce retentissement social, cette attention constante avec laquelle on nous suit. Mais c'est un fait à double tranchant : cela peut vous lier, vous étouffer, vous limiter — comme si on était soudain bloqué par sa propre mission sociale, comme si le rôle qu'il vous est donné de jouer vous serrait la gorge d'angoisse. Bref, on se sent moins libre. J'avoue que j'ai parfois envie de crier : je ne veux pas devenir un éveilleur de la nation, je ne veux faire que ce que j'ai à faire en tant qu'écrivain — dire la vérité. Ou bien, ne cherchez pas toujours l'espoir chez les soi-disant fournisseurs professionnels de l'espoir, essayez de le trouver en vous-mêmes ! Ou encore, osez prendre des risques vous-mêmes, je ne suis pas votre rédempteur ! Mais chaque fois, au dernier moment, je me tais, je ne crie rien, je passe par-dessus et je me répète ce que m'avait dit Jan Patočka : l'épreuve réelle d'un homme ne consiste pas dans la façon dont il réalise ce qu'il a décidé de faire mais dans la façon dont il réalise le rôle que le destin lui a assigné. En fait, il est difficile de savoir quel rôle nous a été assigné. Dans un certain sens, tous. Car nous avons fait un premier pas, qui en a entraîné un autre. Ainsi, logiquement, le mouvement s'est enclenché, en partie malgré nous. Il se peut que sans ce premier pas, rien ne se serait passé. Avons-nous donc le droit de nous plaindre ?

J'aimerais revenir un peu en arrière. En 1965 vous êtes devenu membre de rédaction de la revue Tvář, *un mensuel culturel consacré à la jeune littérature, qui a été suspendu plus tard dans des circonstances dramatiques. Comment cela s'est-il passé et quelle était votre activité au sein de l'Union des écrivains ?*

J'ai déjà parlé de mon aversion pour l'Union des écrivains dans les années cinquante, une aversion que j'éprouvais tout autant dans les années soixante. C'est pourquoi je ne tenais pas à en devenir membre, même à l'époque où on donnait mes pièces, d'autant plus que le théâtre m'occupait entièrement. Bref, je ne ressentais pas le besoin d'avoir quoi que ce soit de commun avec cette organisation des écrivains ni de participer à son activité. Si je ne me trompe, c'était Jiří Gruša qui a demandé au IIIe congrès de l'Union des écrivains en 1963, qu'on mette sur pied une revue pour les jeunes écrivains ; on l'a effectivement créée peu après, et ce fut *Tvář (Le visage)*. De même qu'on avait créé après le IIe congrès la revue *Květen (Mai)*. *Tvář* a été dirigé par Gruša, Pištora, Vinant et d'autres jeunes hommes de lettres. Je ne les connaissais pas et, à vrai dire, ressentais une distance intérieure par rapport à ce groupe ou à cette génération. Je travaillais dans un laboratoire, je faisais mon service militaire et je construisais des ponts de bateaux, j'étais employé comme machiniste et n'avais aucun espoir de faire des études ; aussi je me considérais comme quelqu'un appartenant à la culture souterraine. Ces jeunes gens (en fait à peine plus jeunes que moi — mais avec un passé différent car déjà nés à une autre époque) ont pu terminer leurs études secondaires régulièrement, s'inscrire à la faculté des lettres et étudier la littérature; après quoi ils ont trouvé du travail dans des maisons d'édition ou dans des rédactions, ils ont pu publier et devenir membres de l'Union des écrivains. Leur vie a été quand même plus facile que la mienne. Ils avaient fait de bonnes études, ce que je leur enviais inconsciemment, et puisqu'ils se sont si vite et si bien établis dans l'Union des écrivains, je les considérais comme des écrivains officiels. Aujourd'hui je sais que mon opinion a été injuste, mais c'est ainsi que je le ressentais à ce moment-là. Une fois je suis allé à la rédaction de *Tvář* par curiosité et pour y déposer quelques poèmes typographiques que j'avais écrits; j'ai été bien reçu, mes poèmes ont été publiés et plus tard a paru encore un article de moi. Mais c'étaient mes uniques contacts avec *Tvář* à l'époque. Cette revue n'existait que depuis à peu près un an quand une petite révolution eut lieu au sein de la rédaction. Je n'en connus pas les détails, ils ne m'intéressaient pas car de telles controverses ont toujours fait partie de la vie et des groupes littéraires. Ma carrière dans *Tvář* a commencé lorsque la rédaction m'a invité (sur la proposition de Jan Lopatka, paraît-il) à en devenir membre. Il faut dire que cette proposition n'était pas innocente. *Tvář* dépendait de l'Union des écrivains et pourtant aucun membre de la nouvelle rédaction n'en faisait partie. Non seulement on le reprochait à la rédaction mais cela avait surtout des désavantages : les gens de *Tvář* ne participaient pas aux réunions de l'Union des écrivains et ne pouvaient pas défendre la revue quand des décisions importantes y étaient prises. Quant à moi, il semblait bien que j'entrerais à l'Union et qu'une des conditions de mon travail dans *Tvář* serait que je m'y battrais pour elle. En réalité, devenir membre de la rédaction de *Tvář* signifiait devenir membre de l'Union des écrivains. Je le savais, cet aspect pratique de la question ne m'avait pas été caché, et je l'ai accepté. Ainsi je suis devenu à la fois membre du comité de rédaction de *Tvář* et de l'Union des écrivains. Au cours des contacts préalables j'ai pu m'assurer que les objectifs du nouveau comité m'étaient sympathiques et proches. Pour ce qui est de l'Union des écrivains, *Tvář* représentait quelque chose d'inédit, c'était son unique organe dans lequel j'étais disposé à m'engager et avec lequel j'étais prêt à m'identifier.

Cependant cette décision avait pour moi une plus grande importance qu'il ne semblerait à première vue : elle marquait le début de plusieurs années de luttes pour *Tvář*, de plusieurs années de mon statut « rebelle » au sein du l'Union des écrivains. Par elle a commencé mon activité culturelle, politique, civique, bref ce qui a abouti à ma situation de « dissident ». Au début de ma carrière je n'étais qu'un « bon à tout faire » du *Théâtre sur la balustrade*, je ne vivais que pour mon travail et observais avec curiosité ce qui se passait autour de moi ; grâce à *Tvář* je suis sorti de ce milieu mais je n'imaginais pas encore où cela me mènerait. Je ne le regrette pas, bien au contraire. Sans *Tvář* j'aurais été obligé un jour de le faire autrement. Je ne me vois pas enfermé dans un petit théâtre : cela ne correspond ni à ma nature ni à mon écriture, même si certains affirment que j'aurais mieux fait de me consacrer exclusivement à mes pièces dont j'aurais écrit sans doute un plus grand nombre — au lieu de me mêler d'autres choses. Je ne partage pas cet avis et le cas d'un de mes collègues me le confirme. S'occuper uniquement de littérature est délicat et la littérature, paradoxalement, en souffre.

Dès que je suis devenu membre du comité de rédaction de *Tvář*, j'ai commencé à me battre pour cette revue. Cela représentait des milliers de discussions sans fin, de réunions, de controverses : c'était mon université de la vie politique. J'aimerais dire, à cette occasion, quelques mots sur la situation d'alors. Au comité central de l'Union des écrivains, dans les maisons d'édition, dans les comités de lecture et de rédaction, bref dans toutes les institutions littéraires, les positions décisives étaient occupées, au milieu des années soixante, par des communistes ; cependant, c'étaient des communistes réformistes ou « révisionnistes », que nous appelions « anti-dogmatiques » et qui se battaient parfois durement avec la bureaucratie du régime de Novotný. C'étaient eux qui formaient l'establishment culturel de l'époque, dont les réformes ont abouti au « Printemps de Prague ». Nous, plus jeunes et non-communistes, étions proches de certaines de leurs positions car elles représentaient une alternative à la bureaucratie sclérosée et démagogique du régime. Néanmoins, leurs positions avaient également des limites. Nous trouvions de nombreuses contradictions dans leur activité : des illusions dont ils se berçaient, le respect des schémas idéologiques anciens, l'incessant recours aux stratégies, l'inconséquence avec laquelle ils procédaient, un certain enfantillage ou l'évidence avec laquelle ils acceptaient leur rôle dans l'establishment. Il leur semblait incompréhensible que quelqu'un d'autre puisse aussi exprimer son avis. Ils avaient tendance à généraliser leur propre expérience, à l'étendre à tout le monde. Ils se considéraient par exemple comme une « génération » alors qu'ils n'en représentaient que la partie politisée. Lorsque toute cette couche d'intellectuels a été balayée de ses postes après l'invasion soviétique, elle a été accusée d'élitisme par différents plumitifs qui ont saisi l'occasion historique pour occuper les places libérées. Aujourd'hui, je crois ne faire de mal à personne en affirmant que le comportement de cet « establishment anti-dogmatique » avait quelque chose d'élitiste même si cela n'avait rien de commun avec ce que voulaient dire ces plumitifs.

Tvář était le premier groupe institutionnalisé qui ne se trouvait pas entre les mains de cet establishment. C'était un îlot minuscule, mais un îlot de quelque chose d'autre quand même. Ce n'est pas que *Tvář* se soit considéré comme une entreprise anti-marxiste ou anti-communiste ; politiquement et philosophiquement elle n'avait pas de caractère net, et elle s'attachait moins encore à une doctrine idéologique. Les polémiques idéologiques passaient à côté d'elle, de la même façon qu'elles passaient à côté des petits théâtres, de la nouvelle vague de cinéma et des autres phénomènes liés à l'activité de la jeune génération. *Tvář* publiait simplement ce qui lui semblait bon, intéressant, valable, authentique, comme Heidegger, Teilhard de Chardin, Trakl, Jan Hanč ou Jiří Kubĕna. Et peu importait dans quelle catégorie on classait ces auteurs. Cependant, le choix était significatif, il parlait d'une autre expérience, d'une autre base culturelle. N'étant liés aux anciens dogmes par aucun cordon ombilical, aussi fin soit-il, nous nous appuyions sur un vécu et sur un goût différents. Ce qui plaisait aux anti-dogmatiques ne nous plaisait pas toujours et ce qui nous plaisait, n'était pas non plus nécessairement à leur goût. Ainsi, on ne peut pas dire que *Tvář* ait été une île

71

« non-marxiste » au milieu de l'océan « marxiste » (réformiste). Je dirais plutôt que c'était — de notre point de vue — un îlot de liberté dans l'océan de ce qui se voulait libre mais au fond ne l'était pas. L'Union des écrivains, dominée par « l'establishment anti-dogmatique », digérait mal cette situation particulière d'une revue qui dépendait d'elle. Il lui paraissait impossible de publier un périodique qui fût si éloigné de ses préoccupations et, en plus, de le défendre — avec quels arguments ? — devant la bureaucratie. Cette antipathie ne cessait de s'aggraver car *Tvář* démolissait sans merci, pratiquement dans chaque numéro, l'un ou l'autre best-seller de l'époque. Les dirigeants de l'Union avaient l'impression de financer leurs propres détracteurs. Dès le début ils manifestèrent leur aversion envers *Tvář* et c'est pourquoi nous devions la défendre.

C'est ce qui apparaît dans les polémiques publiées à l'époque. Jiří Šotola, dans Literární noviny *du 4 septembre 1965, attaque par exemple votre article paru dans* Plamen *n° 7, intitulé « Sur l'art (en général) ». Son texte abonde en expressions comme « aboiement », « gifler », « les manières primitives », « la vulgarité », « excommunier de la littérature », « effacer », etc. Quelques semaines plus tard, le 16 octobre 1965, Jan Trefulka, dans la même revue, publie un article intitulé « Tvář face à Tvář » où il parle sans ambiguïté : « Les personnes et les revues qui ne se considèrent pas comme marxistes dans le sens précis du terme ne devraient pas être menacées de suspension ou de dissolution, à condition qu'elles expriment clairement et avec précision leurs opinions... »*

Cette citation montre en quoi la pensée anti-dogmatique nous paraissait très naïve. Trefulka voulait certainement proposer à la bureaucratie du parti (pour les anti-dogmatiques, la manière dont ils voulaient « cultiver » les dirigeants par leurs écrits était caractéristique) de nous laisser en paix, et sachant que c'était difficile, il cherchait un compromis : « avouons qui nous sommes ». Une proposition pareille ne peut provenir que d'un partisan d'une idéologie. Si les autres ne pensent pas comme lui, s'imagine-t-il, leur idéologie est différente, car pour lui on doit en avoir une. Qu'aurions-nous pu dire, si nous avions dû divulguer « clairement et avec précision » qui nous étions ? Je n'arrive vraiment pas à l'imaginer. Et même si nous étions prêts (ce qui, par principe, était inacceptable) à déclarer notre adhésion à l'un ou l'autre -isme, par exemple à l'existentialisme, nous aurions ainsi creusé notre propre tombe. Tant que la bureaucratie n'arrive pas à apposer son étiquette sur un mouvement, elle le tolère. Dès qu'elle le désigne, c'est fini. J'espère que mon ami Jan Trefulka ne m'en voudra pas si je lui dis ceci : celui qui ne s'identifie pas avec l'idéologie dominante sait qu'il doit adopter un comportement prudent en se définissant « clairement et avec précision » pour ne pas être balayé. Une telle proposition ne peut provenir que de quelqu'un qui voit le monde d' « en haut », à savoir du balcon de l'idéologie dominante, et qui ne connaît pas l'expérience de ceux qui vivent « en bas ».

Mais revenons à *Tvář*. Je me souviens bien des débuts de notre combat. En 1965 s'est tenue la conférence de l'Union des écrivains, à l'occasion de l'anniversaire de la libération. L'horizon autour de *Tvář* s'assombrissait et nous avions décidé de nous défendre en attaquant. J'ai écrit un discours iconoclaste où je disais, notamment à l'adresse de l'Union des écrivains, que la meilleure façon de célébrer la République serait de jeter un regard critique sur elle-même. J'ai démontré sa bureaucratie, sa rigidité, son intolérance, son refus de prendre en considération l'existence de nombreux auteurs de premier ordre qui, pour des raisons absurdes, ont été éliminés de la littérature, et j'ai expliqué pourquoi *Tvář* avait donc sa raison d'être. Mon discours a été chaleureusement applaudi, alors qu'il était dirigé contre la plupart de ceux qui l'applaudissaient. C'était ma première apparition sur le terrain de l'Union des écrivains depuis l'assemblée de Dobříš en 1956 ; elle a provoqué pratiquement le même scandale. Pavel Auersperg, qui représentait la direction du parti, aurait dit après mon discours à l'écrivain Jan Procházka : « Ce garçon sera dangereux pour nous. » Certes, je n'avais pas la prétention de m'imposer comme un destructeur professionnel des congrès, néanmoins cette remarque m'a réjoui. Le principal était que notre stratégie ait réussi. Pendant quelque temps on a laissé

Tvář en paix, même si plus tard son interdiction est redevenue imminente. La décision a été prise au comité central du Parti communiste mais, officiellement, elle émanait de l'Union des écrivains. Les « anti-dogmatiques » n'auraient pas interdit la revue d'eux-mêmes mais ils ne voulaient pas risquer une révolte ouverte contre le parti, et ils se sont donc finalement pliés. Ils nous en ont expliqué les raisons de façon traditionnellement « anti-dogmatique » : quand on se bat pour de grands objectifs — à savoir la libéralisation générale — il faut parfois faire de petites concessions. Il serait malhabile de s'opposer au pouvoir à cause de *Tvář* parce qu'on est en train de jouer un grand jeu. (D'ailleurs, je me souviens qu'en 1968 Josef Smrkovský justifiait de cette manière son vote contre *Literární noviny* en 1967. Et c'est de cette même façon que Husák justifiait plus tard la mise à l'écart de Smrkovský de la vie politique. C'est presque un exemple modèle de notre politique auto-destructive.) On n'a pas accepté notre raisonnement selon lequel la meilleure voie vers une libéralisation générale est de rester intransigeant précisément par rapport à ce qui paraît être « secondaire », « insignifiant », comme par exemple la publication de l'un ou l'autre livre ou d'une revue. Pourtant, un malaise est apparu dans les milieux « anti-dogmatiques ». Et il n'a fait que croître car nous n'avons accepté ni le verdict, ni les règles du jeu, mais que nous nous sommes par contre défendus. D'abord, nous nous sommes adressés aux écrivains avec une pétition condamnant la décision du Comité central de l'Union des écrivains. Nous avons obtenu quelques deux cents signatures. Ainsi nous avons porté le premier coup à l' « establishment anti-dogmatique ». Ceux qui se considéraient comme porte-parole du progrès ont été accusés de réactionnaires par leurs propres membres ! Une autre pétition a suivi, demandant la convocation d'un congrès exceptionnel de l'Union des écrivains. Selon le règlement, les signatures d'un tiers des membres suffisaient pour qu'il soit réuni. Les auteurs du règlement n'avaient sans doute pas imaginé que quelqu'un puisse le prendre à la lettre et c'est pourquoi cet article avait pu y figurer. (Voilà la raison, d'ailleurs, de tant d'articles démocratiques dans la législation, à commencer par la Constitution : on garde l'apparence, sans s'imaginer que l'on puisse les considérer un jour comme réalité.) Nous avons commencé à recueillir des signatures : le danger apparut qu'on obtienne celles d'un tiers des membres. Que faire ? Convoquer le congrès parce que quelques polissons l'ont voulu ? Ou s'en prendre publiquement aux statuts ? Pour le parti c'était une situation précaire : il a donc fourni un effort surhumain pour détourner les écrivains de l'intention de signer : on les invitait par petits groupes à boire une tasse de café au comité central du Parti communiste où on leur promettait le bleu du ciel — et surtout la publication de ce qu'ils voudraient. Moi, je me suis entretenu avec Pavel Auersperg, qui dirigeait la section culturelle du parti. Une sorte de réunion au sommet des parties opposées. Si j'arrêtais cette opération, j'aurais une revue à moi (sans les principaux collaborateurs de *Tvář*, cela va de soi, mais ils pourraient y être publiés.) Je ne pouvais rien arrêter, évidemment, même si je l'avais voulu. De toute manière, nous n'avons pas obtenu le tiers des signatures nécessaires — ce qui était logique vu le contexte.

Pourtant, selon moi, ces manifestations ont revêtu une grande importance, qui n'est toujours pas suffisamment reconnue. Nous avons illustré un nouveau modèle de comportement selon lequel il ne fallait pas se laisser entraîner dans des polémiques générales et vaguement idéologiques avec le centre, en sacrifiant les choses concrètes ; au contraire, il fallait se battre pour des choses concrètes, rien que pour elles, jusqu'au bout et sans concessions. Donc ne pas accepter les tiraillements ministériels mais jouer un jeu ouvert. Je crois que nos collègues anti-dogmatiques ont reçu ainsi une leçon importante ; leur malaise s'est aggravé et a abouti bizarrement à l'annulation de leur décision précédente. Cela ne pouvait plus rien changer à la situation. Cependant, ils ont compris que leurs méthodes avaient, à maints points de vue, sérieusement vieilli ; qu'un vent frais commençait à souffler, et que les gens — ils étaient de plus en plus nombreux — ne se laisseraient plus éblouir par leurs arguments selon lesquels des sales coups justifient des buts arbitraires et abstraits. Je pense donc que *Tvář* a exercé une influence positive sur les anti-dogmatiques de la communauté littéraire. Il s'est avéré que le parti nous prenait, nous, un petit groupe de jeunes, plus au sérieux que leur « front » tout entier. Il nous prenait au sérieux parce qu'on ne s'est pas laissé faire. Je ne le dis pas pour vanter mes propres mérites, je le dis dans l'intérêt de la vérité historique.`Je n'ai été en grande partie que l'exécuteur de la stratégie de *Tvář* et cette expérience était pour moi inestimable.

Mais revenons aux faits : la date du congrès de l'Union des écrivains approchait et le parti a senti venir le plus grand danger du côté de *Tvář*. Il craignait de nous voir « mettre en l'air » le congrès. La revue a été suspendue mais pas pour autant les opérations de charme. On m'a nommé membre de la commission pour la préparation du congrès. J'ai refusé de participer à ses travaux en objectant que je n'allais pas préparer le congrès de l'institution qui interdisait notre revue. On a répondu que la nouvelle *Tvář* pourrait continuer à paraître si le congrès se déroulait bien. J'avais ma propre opinion sur ce genre d'arguments. Le secrétaire de l'Union m'a invité chez lui ; il me fit boire, il essaya d'en savoir plus sur « ce que nous préparions ». Au fond, cela me faisait rire. Nous voulions obtenir des résultats concrets : publication de livres, de revues, démocratisation de l'Union, etc., sans entrer dans les débats politiques qui supposent toujours une forme d'adaptation au pouvoir, ne serait-ce que dans les limites de certains dogmes rigides ou d'un certain langage. Notre conception était finalement positive, elle ne risquait pas de provoquer un scandale dans le pays ou sur le plan international. Et pourtant, tout s'est passé autrement : le 4e congrès de l'Union des écrivains a effectivement abouti à la rupture avec le parti, mais pas à cause de nous. C'étaient les anti-dogmatiques eux-mêmes, nos collègues de *Literární noviny* qui l'ont « mis en l'air » — plus précisément ils s'en sont servi pour dire la vérité. Le coup est donc venu du côté où on ne l'attendait pas. Le parti s'est de nouveau trompé en évaluant la situation : il a constaté que *Tvář* avait provoqué un mouvement, il s'attendait à recevoir le coup de son côté. Mais *Tvář* avait provoqué un mouvement chez les communistes progressistes, que le parti considérait comme pacifiés. Certains ne seront pas d'accord avec moi mais je suis d'avis que, sans les prises de position de *Tvář*, les communistes progressistes ne seraient pas devenus si radicaux. Je suis persuadé qu'ils se sont également mobilisés grâce à la leçon qu'ils avaient reçue de nous. Bien sûr, Ludvík Vaculík a dit au congrès ce qu'il avait à dire, car il avait décidé de dévoiler une vérité qui le préoccupait, et non pas de manifester plus de courage que *Tvář*. Les choses ne sont pas si simples que cela. Il s'agit de décalages latents de la sensibilité, de l'esprit, de l'éthique, de changements imperceptibles dans le climat que l'on a du mal à percevoir ou dont on ne perçoit pas les causes mais qui, cependant, jouent un rôle important. Telles étaient du moins ma vision et mon expérience de ces événements. Les anti-dogmatiques, en effet, se sont mis à attaquer à leur manière, sans s'aligner sur la stratégie de *Tvář*. Cela signifie que leur manifestation a abouti à une confrontation politique globale avec le parti — ce que nous voulions éviter — qui a été beaucoup plus ouverte et plus catégorique que les conflits précédents, qui se terminaient jusqu'ici par des arrangements quelconques. Nous-mêmes ne savions ce qu'il fallait en penser. A la joie d'avoir entendu dire la vérité (ou de la voir du moins approchée par certains), d'avoir constaté qu'après des discours courageux et ouverts, il n'y avait plus de retour possible aux accommodements à huis clos sur les sacrifices nécessaires pour sauver autre chose, à cette joie se mêlaient en nous des doutes sur l'utilité d'une telle confrontation politique et les craintes d'une contre-attaque du pouvoir, rendue ainsi plus facile. Je n'en ai toujours pas une opinion très claire. Il est néanmoins certain que la façon dont le 4e congrès s'est déroulé à accéléré les événements et a servi de prologue au Printemps de Prague. Cela signifierait que ce qui s'est passé a été utile. D'autre part, on peut se demander si certaines contradictions caractéristiques du Printemps de Prague, celles qui ont en fin de compte contribué à sa répression, n'étaient pas déjà latentes au congrès, où la vérité avait été dite, mais pas entièrement, et si le petit pourcentage de vérité tue n'anticipait pas les germes de la schizophrénie fatale de l'année soixante-huit. Cela confirmerait les craintes qui se mêlaient alors à notre joie. Bref, je n'ose pas émettre un jugement, je le laisse aux plus compétents. Si je mets l'accent sur le rôle politico-culturel inestimable de *Tvář*, cela ne doit cependant pas diminuer l'intérêt que la revue présentait en tant que périodique culturel. Remarquez qu'elle est aujourd'hui encore beaucoup plus intéressante que la plupart des magazines littéraires, y compris *Literární noviny*. Elle ne provoque plus l'aversion que certains de nos collègues communistes manifestaient à l'époque. Il est paradoxal que les temps difficiles que nous traversons aient débarrassé de nombreux intellectuels de leurs derniers préjugés idéologiques. Quoique nous soyons différents les uns des autres (et le resterons, j'espère), une chose nous rapproche : l'absence de préjugés et la liberté intérieure. Dans ce sens-là, l'îlot que représentait *Tvář* anticipait sur l'évolution future ; elle se dirigeait dans la bonne direction.

Mais je crois qu'il faut cesser les louanges de *Tvář* et parler aussi de ses défauts : l'attitude sectaire de certains de ses membres se manifesta dès le début et, avec le temps, ne cessa de s'accentuer. Dans les pages de la revue, heureusement, cela ne se voyait pas mais dans les coulisses on le sentait très bien. J'ignore dans quelle mesure c'était le tribut qu'il fallait payer pour le rôle positif que *Tvář* jouait ou dans quelle mesure c'était inutile ; j'ignore si c'était dû aux conditions dans lesquelles *Tvář* paraissait et se défendait, ou si c'était son défaut caractéristique. Il faut dire que même dans *Tvář* il y avait une « chapelle » (le cercle autour de son chef spirituel, Emanuel Mandler) qui prenait les décisions et manipulait souvent les autres membres du conseil de rédaction ; que *Tvář* aussi avait ses « procès », ses hérétiques, sa discipline, ses dogmes, etc. Moi-même, je me suis séparé deux fois de *Tvář*. Après le premier départ, je me suis réconcilié avec la revue et suis même devenu président de son conseil de rédaction. Après le second, en 1969, la séparation a été définitive. Avant ou après mon départ, d'autres amis s'en sont éloignés aussi ; le plus souvent c'étaient des romanciers, ce qui est significatif : ils défendaient jalousement leur indépendance. C'étaient Urbánek, Linhartová, Topol, Dvořák et d'autres encore probablement, mais je ne me souviens plus très bien de toutes ces péripéties. La période de controverses à l'intérieur du groupe a commencé assez bizarrement : lors d'une réunion du conseil de rédaction — alors qu'à la place de *Tvář* interdite paraissait une autre revue, *Sešity,* que l'on jugeait avec beaucoup de sévérité

— nous avons appris que « la chapelle » était sur le point de monter un procès contre Milan Nápravník parce qu'il avait promis un texte à *Sešity*. Une partie du conseil de rédaction, dont moi, qui ignorait tout de l'affaire, était consciente de la bêtise dont une telle scène témoignait. Nos tentatives improvisées d'arrêter le procès furent cependant brillamment rejetées par le mécanisme bien huilé de la chapelle. Nápravník le prenait avec un calme olympien (il se peut qu'en tant qu'ancien membre du groupe surréaliste il connaissait ces pratiques) et au milieu du procès, il partit se peser sur une balance qui se trouvait par hasard dans la pièce où nous étions réunis. Ce fut considéré comme un délit plus grave encore que son intention de publier un texte dans *Sešity*, car il discréditait la procédure d'une manière inexcusable, à l'aide d'une balance ! Moi-même, j'ai claqué la porte au moment où j'ai compris qu'un procès contre moi allait avoir lieu parce je me serais apparemment éloigné de la ligne de *Tvář* au cours de la discussion au congrès constituant de l'Union des écrivains tchèques (après la fédéralisation de l'Union). Il est triste de constater que *Tvář* devenait de plus en plus victime du comportement contre lequel elle s'élevait si courageusement. Cela me rappelle une phrase d'O'Neill : « Je me suis battu si longtemps avec les petites choses, que j'en suis devenu tout petit. »

Plus tard vous avez été chargé au sein de l'Union des écrivains de différentes fonctions, qui n'avaient plus rien à voir avec Tvář...

En ce qui concerne l'Union des écrivains, je ne supportais pas une chose largement répandue : tout le monde se plaignait des fonctions qu'il fallait assumer, tout le monde répétait qu'il se devait de se consacrer à l'écriture et non pas aux réunions, pendant lesquelles on faisait semblant de s'ennuyer ou on s'installait au bar dans la salle voisine. Tout le monde rechignait à faire quoi que ce soit et, pourtant, personne n'a jamais démissionné. Pas un seul de ces écrivains n'a eu l'idée de claquer la porte et d'aller écrire, chacun n'aspirant qu'à être reconduit dans ses fonctions. Fonctions qui jouaient évidemment sur la publication de leurs livres, sur le tirage, sur

79

l'attribution des prix, sur leurs choix dans les délégations qui voyageaient à l'étranger, sur l'attribution des bourses, etc. Bref, on en tirait profit. Ce double jeu m'agaçait : ils aspiraient à des fonctions et en même temps ils faisaient croire aux autres que cela les embêtait. J'aurais été moins agacé si cela n'avait pas eu de retombées négatives, mais parfois cela pouvait même nuire. Lorsqu'on débattait de questions importantes, par exemple des candidatures de nouveaux membres de l'Union des écrivains (ce qui pour certains était à l'époque une question d'existence), eux, au lieu de participer aux discussions, au lieu d'aider d'autres écrivains en faisant quelque chose d'utile, bâillaient devant le zinc. Je trouvais ce comportement immoral, mais il était caractéristique de ce milieu-là. Je fus d'avis que, soit les fonctions ne les intéressaient pas et qu'il fallait démissionner, soit ils voulaient les exercer et dans ce cas-là, qu'il fallait le faire sérieusement, pour le bien de tous. Je trouvais inadmissible de considérer sa fonction comme une source d'avantages et non comme un engagement. C'est pourquoi mon activité — rebelle, cela va de soi — de quelques années dans l'Union des écrivains procédait de ma volonté têtue, voire crispée, de changer ces pratiques. Quand j'étais nommé dans des commissions ou invité comme collaborateur, je me consacrais pleinement aux travaux qui en résultaient, je farfouillais dans les affaires, j'étudiais les dossiers, je discutais, je critiquais les abus et faisais des propositions. Ce zèle ne m'a pas valu l'exclusion comme on aurait pu s'y attendre, mais une surcharge de travail. Mes collègues se sont habitués au rôle de saint-bernard que je jouais, ils ont été contents d'avoir parmi eux quelqu'un qui ne dormait pas aux réunions et ne se limitait pas à lever la main pour voter. J'exerçais une sorte de self-control de l'Union, et les autres membres durent en conclure qu'il valait mieux tirer parti d'un homme comme moi au sein de leur organisation que de l'avoir sur le dos, sans trop savoir à quelle occasion il pouvait les attaquer.

Comme je l'ai déjà dit, je me suis d'abord battu pour *Tvář*. Je crois avoir ainsi gagné quelque respect, bien que controversé. Puis, d'autres devoirs en ont découlé, qui ne concernaient plus directement *Tvář*. Cependant, celui qui dit A, doit dire aussi B. En déclarant que l'Union des écrivains était une organisation lourde et bureaucratique, conçue de manière insensée sur le modèle du parti communiste, j'ai dû accepter de faire un projet de réforme. Refuser m'aurait valu d'être considéré comme un bouffon. J'ai donc élaboré le projet des nouveaux statuts. Et tout se passait comme cela. Aux yeux de certains, je devais paraître comme un railleur que l'institution garde pour combattre l'ennui. Mais cela ne me dérangeait pas. Dans une certaine mesure il m'amusait même de jouer ce rôle. Mais j'étais surtout persuadé de pouvoir faire passer de temps à autre un projet réellement valable. Combien de fois l'ai-je réussi ? je ne m'en souviens plus, et si j'ai remporté quelques succès, c'est lorsque certains écrivains ont été intégrés dans l'Union.

En 1968, comme vous vous le rappelez, les non-communistes, les sans-parti commencèrent à s'agiter. L'ambiance plus libre qui régnait leur a permis de se manifester et d'aspirer avec les autres à l'émancipation. Ils représentaient la majorité et pourtant on les considérait comme secondaires car toutes les fonctions importantes étaient occupées par les communistes — et c'était le parti qui décidait tout à huis clos. Le programme réformiste ne donnait aucune réponse claire aux problèmes des non-communistes, ce n'étaient que des subterfuges dialectiques. Les sans-parti demandaient la participation à la vie publique, ils ressentaient le besoin de structures institutionnelles propres. Le renouveau des partis politiques regroupés dans le front national s'est montré illusoire. C'est ainsi que fut créé le KAN, le Club des sans-parti engagés. Cependant, sans tradition et sans expériences politiques, sans personnalités de premier plan (où aller les chercher ?) et se définissant avant tout négativement, c'est-à-dire par la non-appartenance de ses membres aux organisations communistes, le KAN me paraissait problématique et hésitant. Pourtant, il répondait à un besoin social réel et logique, il représentait la recherche de solution à l'un des plus graves problèmes de l'époque. Pourquoi est-ce que j'en parle ? Parce que, même à l'Union des écrivains, dont toutes les commissions n'étaient au fond que le prolongement des cellules du parti, de nombreux écrivains, jusqu'ici injustement écartés, commencèrent à ressentir le besoin d'une institution — ne fût-ce que temporaire — qui leur permît de mieux défendre leurs intérêts, d'exprimer leurs besoins et de devenir les partenaires des communistes sans être, comme auparavant, considérés comme leurs parents pauvres. Ce besoin s'est manifesté par la création du Cercle des écrivains indépendants, dont j'ai été élu président. C'était une autre forme de mon engagement à l'Union des écrivains. Avant cela j'avais déjà présidé le Groupe des jeunes auteurs, une institution quelque peu fougueuse, née à l'époque des combats pour *Tvář*, plus précisément à l'époque où la plupart des jeunes auteurs avaient compris que, sans devoir définir nécessairement leurs rapports avec cette revue, défendre *Tvář* représentait indirectement une défense de la liberté et par surcroît de leur liberté aussi. Ils se sont mis de notre côté, ils étaient nombreux et il semblait qu'une association qui exprimerait leur volonté pouvait être utile. Aujourd'hui j'ignore si cela a servi à quelque chose. Indirectement peut-être, pour l'atmosphère de l'époque.

Quant à l'année soixante-huit, aujourd'hui encore je garde en mémoire les combats menés lors des réunions avec des amis de *Tvář* ou d'autres écrivains « indépendants », dont le but était d' « aérer » l'Union, de la « régénérer » comme on disait à l'époque. L'Union des écrivains avait déjà à sa tête de nombreux anti-dogmatiques, elle publiait *Literární noviny* et son 4e congrès lui a donné un crédit qui la rangeait parmi les associations les plus progressistes du pays. Ainsi, alors que d'autres associations « se régénéraient » — ce qui signifiait surtout la mise à l'écart de dirigeants compromis — l'Union des écrivains n'avait aucune intention de le faire, elle se considérait déjà comme suffisamment régénérée. Son crédit et sa réputation se trouvaient en contradiction avec son fonctionnement réel : alors que ses membres montaient à la tribune aux côtés des politiciens du Printemps de Prague et symbolisaient le mouvement de libéralisation, à l'Union même cela sentait le renfermé. Je me souviens par exemple de tout ce qu'il a fallu faire pour expulser Jan Pilař, cette grenouille assise sur la source, de la fonction de directeur des éditions Československý spisovatel, pour rétablir Ladislav Fikar à son poste. (Aujourd'hui, bien sûr, la grenouille s'y est à nouveau installée.) Je me souviens que lors d'une réunion j'ai prié Jan

Drda d'abdiquer, du moins de sa fonction au praesidium. Je lui disais qu'on ne lui voulait pas de mal parce qu'il était gentil mais que son nom était quand même le symbole de l'aristocratie de Dobříš — qui du château des écrivains adressait les demandes d'exécution de personnes innocentes — et qu'il conviendrait de se distancier ainsi, par sa démission, du passé sombre de la communauté des écrivains. Je me souviens comment, au cours d'une réunion, Jan Beneš s'apprêtait à lire à Ivan Skála et aux autres son article *Un chien mérite une mort de chien* dans lequel il demandait l'arrêt de mort pour Slánský (je ne me souviens plus s'il l'a finalement lu) ; je me rappelle comment Jarmila Glazarová se repentait parce qu'elle s'était également compromise lors des procès. Il était compréhensible que nous demandions à l'organisation littéraire de régler ses comptes avec sa trahison impardonnable de la mission et de l'honneur de l'écrivain. Ses positions à l'époque créaient un climat favorable aux condamnations massives et aux exécutions. Cela aussi faisait partie de mon engagement au sein de l'Union des écrivains. J'y ai consacré baucoup de temps, que je ne considère, ni du point de vue personnel, ni du point de vue social, comme perdu.

Antonin J. Liehm m'a dit récemment que sa génération n'avait jamais aspiré au pouvoir. N'était-ce pas une erreur ? Ne devait-elle pas savoir que celui qui veut faire du journalisme selon sa conception doit aussi participer au pouvoir, que c'est un devoir et un tribut ? Ne s'est-elle pas trompée en renonçant au pouvoir, en le rejetant comme quelque chose de malpropre ?*

Je veux bien croire Antonin Liehm quand il dit que sa génération — ou plus précisément ceux de sa génération qui avaient les mêmes idées que lui — n'aspirait pas au pouvoir. Mais je ne crois pas qu'ils n'exerçaient pas de pouvoir. A vingt ans, ils étaient déjà directeurs de revues, rédacteurs en chef, attachés culturels. En tant que membres des commissions de contrôle dans les universités, ils décidaient quels professeurs pouvaient faire des cours et quels autres devaient quitter l'université. Quand ils s'attaquaient à Seifert, ils auraient pu le

---

* A. J. Liehm parlait ici de l'activité intellectuelle de sa génération en 1968, et non en 1948. La question mal posée offrit pourtant à Václav Havel de donner une réponse qui touche à des questions de principe ; pour cette raison, elle sera conservée. (Note de K. Hvížďala)

faire mettre en prison comme on y a expédié Jan Zahradníček. Les projets de publication, la dramaturgie des théâtres, la radio et plus tard la télévision, les revues culturelles, tout cela était entre leurs mains. Peut-on dire qu'ils ne détenaient pas le pouvoir ? C'étaient eux qui créaient l'atmosphère de l'époque, c'était d'eux que dépendait en grande partie ce qu'on pouvait ou ne pouvait pas faire — ils décidaient du destin de milliers de gens. Si, pour la plupart, ils ne sont pas devenus fonctionnaires, cela ne signifie en rien qu'ils étaient dépourvus de pouvoir. Leur évolution, qui les a menés plus tard du dogmatisme à l'anti-dogmatisme, n'a pas changé grand-chose. Certains sont allés encore plus loin. Ils sont devenus responsables d'instituts de recherche, professeurs dans les universités, directeurs de théâtres et de maisons d'édition. Certes, ils se sont trouvés plus tard en désaccord avec la bureaucratie, mais il ne s'agissait au fond que d'un désaccord à l'intérieur du pouvoir. Le clivage dans la bureaucratie se produisait d'ailleurs à la même époque. Comment les amis et les compagnons de route de Liehm se sont-ils servis de ce pouvoir ? Si c'était en faveur de la société ou pour la dominer, c'est une autre question. Mais je n'oserais pas affirmer qu'ils n'avaient pas le pouvoir ou que c'était une erreur de ne pas l'avoir eu.

L'année 1968 est souvent mythifiée, notamment par les anciens fonctionnaires du parti. Vous faites partie de ceux qui n'ont jamais contribué à ce genre de glorification. Quels sont vos souvenirs de l'année 1968 et qu'en pensez-vous aujourd'hui, avec le recul de dix-huit ans ?

Je considère l'année 1968 comme une conclusion logique et un aboutissement d'un long processus de « prise de conscience et d'auto-libération de la société », comme je l'appelle, et non comme un simple conflit de deux groupes politiques qui a provisoirement basculé en faveur du plus libéral des deux. La pression grandissante de ceux chez qui cette prise de conscience s'était produite allait se refléter dans le domaine politique. Le fossé entre la vie et le système politique s'élargissait de jour en jour. Pourtant, après la mise à l'écart de Novotný de la scène politique en janvier 1968, je n'imaginais pas — de même que mes nombreux compatriotes et tous ceux qui ne savaient pas ce qui se passait dans les coulisses du parti

— ce que ce changement signifiait et ce qui allait se passer. Il me semblait que c'était un simple changement des sentinelles au sommet de la pyramide qui n'avait pas une grande importance. J'ai été d'autant plus surpris par la rapide évolution qui a suivi. Il faut dire que tout le monde en a été surpris, même les dirigeants politiques. Car cette évolution résultait moins de l'application d'un programme que d'une pression de la société qui a profité de la lutte à l'intérieur du parti et des changements politiques survenus pour se libérer du couvercle sous lequel elle se trouvait enfermée. Je dois dire que j'étais aussi de ceux qui se sont laissés entraîner par l'euphorie des événements. Je pense que tout le monde en a été enivré et que tout le monde en a ressenti de la joie : soudain, on commençait à respirer librement, on pouvait se rassembler, la peur s'en allait, les tabous de toutes sortes disparaissaient, les contradictions sociales pouvaient être signalées, les médias remplissaient à nouveau leur rôle, la conscience civique s'éveillait — bref, c'était le moment du dégel et des fenêtres grandes ouvertes. Impossible de ne pas se sentir concerné et fasciné ! Il n'en est pas moins vrai qu'à la joie se mêlait un embarras de plus en plus lancinant. Et ce n'était pas seulement mon sentiment personnel, c'était un phénomène général. D'où provenait cet embarras ? Je me rendais bien compte que nos dirigeants étaient déconcertés face à cette évolution. Ils jouissaient du soutien général et d'une sympathie spontanée, ce qu'ils n'avaient jamais connu encore, étant habitués exclusivement aux appuis organisés d'en haut. Cela les a agréablement surpris, voire enchantés mais en même temps ce mouvement spontané, émanant de la population, leur inspirait de la crainte, car ils se sentaient coincés. Les revendications qui leur étaient adressées leur semblaient parfois incompréhensibles et les effrayaient car elles dépassaient de loin les limites de ce qu'ils considéraient jusqu'ici comme « possible » ou « acceptable ». N'oublions pas qu'il s'agissait le plus souvent de simples bureaucrates du parti ayant une pseudo-formation politique, dotés d'illusions correspondantes, de réflexes et de préjugés correspondants, d'un passé et d'une culture correspondants, dont l'horizon était aussi proportionnellement limité. Ils n'étaient qu'un peu plus libres penseurs et un peu plus honnêtes que leurs prédécesseurs. Ainsi, ils se retrouvaient dans une situation schizophrène : ils sympathisaient avec l'essor de la société et en même temps ils en avaient peur. Ils s'appuyaient sur cet essor et en même temps ne le comprenaient pas bien. Ils le soutenaient et en même temps voulaient le freiner. Ils désiraient de l'air frais mais craignaient le courant d'air. Ils souhaitaient des réformes mais leur assignaient des limites que le peuple euphorique ne prenait point en considération et moins encore respectait. Ainsi, ils ne pouvaient que trottiner derrière la société, sans lui imposer une direction. Au demeurant, cela n'aurait pas été trop grave, la société se serait passée d'eux. Ce qui, par contre, a été dangereux, c'est que les dirigeants n'ayant pas d'opinions claires sur les événements ne savaient pas comment les justifier. Prisonniers de leurs illusions, ils croyaient pouvoir tenir la société en bride, donner des explications satisfaisantes aux Soviétiques ou leur promettre quelque chose qui pourrait les rassurer afin qu'ils comprennent et consentent aux réformes. Ils occultaient les divergences avec les Soviétiques, ils ne s'avouaient pas les signes alarmants, ils se laissaient tromper en espérant trouver en fin de compte une solution : ce qui était « acceptable » pourrait passer, ce qui était « inacceptable » (on en parlait comme des « extrêmes ») serait réglé à l'amiable, à la satisfaction du pays et du Kremlin. Le nouveau programme du parti, préparé hâtivement, reflétait toutes ces contradictions. C'était un conglomérat de contradictions qui ne pouvait donner satisfaction ni à la population ni au Kremlin. On le sentait de mieux en mieux, cela remplissait l'atmosphère de cette année soixante-huit. C'est pourquoi l'embarras et les craintes ne faisaient que grandir et devenaient à chaque instant plus aigus. Les raisons de s'inquiéter étaient évidemment plus nombreuses. A commencer par le problème de la majorité des sans-parti (on ne pouvait pas mettre en doute le principe du rôle dirigeant du parti et le pluralisme politique était un objectif qui se situait au-delà des limites de la compréhension des dirigeants), jusqu'au problème des staliniens qui dominaient différentes unités de la Sécurité d'Etat et des autres organismes dépendant du pouvoir. Que l'on admît l'éventualité d'une intervention armée ou non (et je crois qu'on ne l'admettait guère), la population s'imaginait bien que le Kremlin n'accepterait pas si facilement la situation comme le croyaient les dirigeants. La société se faisait d'ailleurs beaucoup moins d'illusions sur les Soviétiques qu'eux. Les sympathies que l'on exprimait aux hommes politiques cachaient pendant tout ce temps — du moins selon mes souvenirs — l'appréhension de les voir reculer au moment décisif et trahir ainsi le rêve autour duquel toute la nation s'était rassemblée.

Avez-vous participé aux célèbres meetings ?

J'étais présent au premier, le plus célèbre, qui se déroulait à la Maison slave. Il a commencé le soir et a duré tard dans la nuit ; pendant toute sa durée les communistes réformistes comme Smrkovský, Hejzlar, Švermová et mes collègues Kohout, Procházka et d'autres répondaient aux questions du public. J'étais sur le balcon, j'observais tout cela le souffle coupé, et j'éprouvais des sentiments contradictoires. D'abord, évidemment, la joie d'entendre les gens parler si librement, la joie du dialogue renoué entre les hommes politiques et le public anonyme, la joie d'une atmosphère exaltante, de la vérité dite à voix haute. A cela s'ajoutait un sentiment de satisfaction ; on déclarait tout haut ce que je pensais depuis longtemps déjà, mais que j'avais gardé, en grande partie, pour moi seul, sans espoir d'être compris par le pouvoir au cas où je l'aurais prononcé. Cependant, parmi mes sentiments contradictoires il y avait aussi de la tristesse. Elle venait du fait que les hommes de la tribune, ceux qui entretenaient des liens privilégiés avec l'idéologie dominante, tiraient au clair, après avoir gouverné pendant vingt ans, ce qui étaient des évidences pour les autres. Même pendant ce meeting, le public devait corriger, par-ci par-là — et il le faisait délicatement —, les hommes du Printemps : quand ceux-ci répétaient que l'injustice avait commencé par le procès de Slánský, on appelait de la salle : « Et Horáková ? » Pourtant, il y avait là surtout des jeunes qui étaient encore des enfants ou n'étaient même pas nés, quand le procès d'Horáková avait eu lieu. Comment se faisait-il que c'étaient ces jeunes, précisément, qui devaient rappeler aux membres les plus éclairés du parti leurs propres erreurs ? Le style de show dans lequel les hommes du Printemps de Prague essayaient de se dépasser en faisant de l'esprit me dérangeait aussi. Il se peut que je craignisse inconsciemment une certaine légèreté fatale avec laquelle on changeait l'Histoire. Mais il se peut aussi que ce ne fût que l'expression de ma sobriété exagérée. Plus tard, je pus également parler devant des auditoires importants et s'il m'arrivait de leur imposer ma vision réaliste des choses, je considérais cela comme un succès, mais d'autre part j'échouais, lorsque je me trouvais aux côtés d'orateurs comme Škutina ou de tribuns comme Pachman.

Avez-vous pris une part directe aux événements politiques pendant la période du Printemps de Prague ?

Pas vraiment, puisque je ne me trouvais pas au centre des activités. En tête des événements politiques figuraient les réformistes du parti, dont je n'étais pas, même si j'avais parmi eux beaucoup d'amis. J'étais actif sur le terrain de l'Union des écrivains et en plus je voyageais beaucoup, ce fut un des rares moments où l'on m'accorda un passeport. Si je me rappelle bien, ma seule manifestation politique importante fut l'article « Au sujet de l'opposition » publié à *Literární noviny* dans lequel je m'interrogeais sur la fondation d'un nouveau parti politique démocratique qui représenterait un partenaire valable du parti communiste. Donc, à nouveau le problème des sans-parti. Mon article a été accueilli avec beaucoup d'attention parce que c'était, si je ne me trompe, la première fois (et peut-être même la dernière) que l'on demandait publiquement la création d'un parti d'opposition. Aujourd'hui je dois dire que je ne le relis pas sans réserves : depuis longtemps il ne me semble plus possible qu'on eût pu créer, à cette époque, un parti d'opposition, (sans traditions, sans expériences et sans figures de proue, ce qui aurait donné une organisation aussi piètre que le KAN) et il ne me semble plus envisageable qu'on eût ainsi résolu quoi que ce soit. Depuis longtemps, le principe même des organismes politiques de masse m'inspire du scepticisme. Mais mon article me dérange également par un autre de ses aspects : seul celui qui est décidé à fonder un parti politique doit le proposer — et naturellement, ce n'était pas mon cas. Au cours de cette période mouvementée, je ne cessais de considérer mon rôle comme celui d'un écrivain - témoin de son temps ; je n'avais aucune intention de devenir un homme politique, c'est-à-dire un organisateur des changements. Pour ma défense, je devrais ajouter que ce sujet était à l'époque omniprésent, tout le monde en parlait, tout le monde savait que, sans faire le pas décisif vers un pluralisme politique, on resterait à mi-chemin. Même certains communistes éclairés s'adressaient aux non-communistes pour les encourager dans ce sens, en ajoutant logiquement que ce n'était pas à eux de le faire. Mon article reflétait donc l'atmosphère qui régnait. La revendication d'un nouveau parti politique n'a d'ailleurs rien d'inhabituel dans les pays communistes. Elle réapparaît régulièrement lors des moments de crise. En Pologne, par exemple, on fonde des nouveaux partis d'opposition relativement souvent.

Avez-vous rencontré personnellement les hommes politiques du « Printemps de Prague » ?

Lorsque je suis rentré au début de juillet d'un voyage à l'étranger, j'ai trouvé sur mon bureau l'invitation du Premier ministre Cerník de me rendre au palais Hrzán, où devaient se rencontrer hommes politiques et écrivains. Je m'y suis rendu, surtout par curiosité. C'était une soirée agréable qui s'est prolongée longtemps dans la nuit et où il y avait de bonnes choses à manger. Parmi les représentants politiques se trouvaient Dubček, Cerník, Smrkovský, Hájek, le ministre de la Culture Galuška et aussi Husák (plutôt discret, il ne parlait pas beaucoup ; si j'avais su la carrière qu'il allait mener, je lui aurais prêté plus d'attention). Parmi les écrivains sont venus Goldstücker, Procházka, Kohout, Vaculík, Škvorecký et moi, peut-être encore l'un ou l'autre mais je ne m'en souviens plus. J'en garde un souvenir d'autant plus vivant que ce fut mon unique rencontre plus ou moins intime avec les hommes politiques au pouvoir (ceux qui l'avaient perdu, je les fréquentais souvent). Au début j'étais intimidé mais un peu de cognac me donna le courage nécessaire pour me lancer dans un long débat avec Dubček. Je lui expliquai assez résolument ce qui me préoccupait, je lui donnai des conseils avec aplomb sur ce qu'il devrait faire pour empêcher l'intervention soviétique et pour isoler les gens comme Indra (Indra diffusait en secret des télex suspects). Je lui recommandai de légaliser le Parti socio-démocrate et de rester loyal envers les anciens prisonniers politiques regroupés dans l'organisation K 231. Je lui dis qu'il se faisait des illusions sur le Kremlin, illusions dont il fallait se débarrasser, et qu'il ne devrait pas se trouver en position de défense et se limiter à la politique de pacification dans l'espoir d'en tirer des avantages. Bref, grâce à quelques verres de cognac, j'ai dû me comporter assez impertinemment et raconter pas mal de bêtises. Cependant Dubček m'a écouté attentivement pendant tout notre entretien et m'a posé des questions. Mes conseils, il ne les a pas pris en considération mais il m'a conquis parce qu'il voulait bien en discuter avec moi. Chez les hommes politiques, et particulièrement chez les communistes, ce n'est pas courant car ils ne cessent de répéter leurs arguments et ne prêtent jamais l'oreille à ce qu'on leur dit.

Croyez-vous qu'il existait une chance réelle de sortir de la crise cette année-là ? Etait-il possible d'empêcher l'invasion ? Pensez-vous que nous aurions dû ou pu nous défendre ? Que pensez-vous de ces questions aujourd'hui, avec le recul de tant d'années ?

Quand on analyse l'Histoire en se servant de « si », c'est toujours insidieux. Nous avons chez nous une tradition particulière qui voit apparaître, après chaque malheur historique, des milliers de malins qui savent exactement ce qu'on aurait dû faire et comment on aurait dû procéder pour que cela ne se termine pas comme cela s'est terminé. Mais puisque vous me posez cette question, je vais tâcher d'y répondre. Tout d'abord, je dois dire que les discours prétentieux suggérant qu'on aurait dû se défendre me paraissent suspects. Souvent ils trahissent un désir de compenser certains complexes. Théoriquement, une défense symbolique aurait été possible. J'ai entendu dire que la défense anti-aérienne de Prague était capable de résister à l'armée de l'air soviétique au moins pendant trois jours, mais je ne sais pas si c'est vrai. Du point de vue pratique, une défense organisée n'était pas envisageable.

Cela aurait supposé la transformation des plans de mobilisation et de combat et leur orientation dans une direction opposée. A peine aurait-on commencé à la préparer, que les Soviétiques auraient déjà été là, car notre état-major est rempli de conseillers soviétiques — au point que le secrétaire général du PC de l'URSS est informé du moindre bruit avant que le président tchécoslovaque ne l'entende. Une armée moderne est une machine immense et il ne suffit pas de donner un ordre ici ou là pour qu'elle se mette tout entière en mouvement. En plus, notre armée a été conçue comme une armée satellite. Excepté une remarque modeste du général Prchlík au sujet de la décentralisation possible du Pacte de Varsovie, à la suite de laquelle il a dû démissionner, on n'a rien fait pendant toute la période de libéralisation (et on n'aurait rien pu faire) pour renforcer notre indépendance militaire. C'est pourquoi il serait naïf de croire que l'on aurait pu donner, en août, l'ordre de défendre le pays. Je ne sais pas non plus qui aurait pu donner cet ordre : il nous aurait fallu un autre état-major et j'ignore où nous l'aurions pris. Et surtout, même s'il y en avait un, tout se serait passé différemment avant le mois d'août déjà. On peut donc se demander dans quelle situation le pays se serait trouvé avant l'invasion. Comme vous voyez, les « si » sont vraiment insidieux. Ce qui me paraît plus vraisemblable, c'est la résistance spontanée de quelques unités. Il semblerait que certains soldats et officiers inférieurs étaient disposés à se battre. Cependant, cela n'aurait pu survenir que dans une atmosphère morale et politique différente de celle qui régnait chez nous avant le mois d'août. Bref, un « si » produit un autre « si ». De toute façon, les conséquences d'une résistance militaire — même si elle était stratégiquement possible et politiquement envisageable — sont difficiles à imaginer. On peut néanmoins en supposer une ; si elle est insignifiante du point de vue historique, elle est importante du point de vue de notre entretien : ce serait ma disparition de cette planète ou, dans le meilleur des cas, ma survie quelque part en Sibérie.

Pourtant, en simplifiant, on pourrait dire que les morts n'auraient probablement pas autorisé les vivants à conclure des compromis, des accords avec les occupants. Il se pouvait qu'un tel refus redressât également notre propre moral. Nous nous serions rendu compte que la liberté n'est jamais donnée, qu'il faut la conquérir et la payer de son propre sang...

Moi je serais beaucoup plus prudent si je devais formuler des objections pareilles. Quand on est disposé à verser du sang pour sa liberté, on a d'habitude certaines chances de l'acquérir. Là, je suis d'accord avec vous. Mais j'ajouterai qu'une telle décision ne peut pas être prise au nom des autres. Si vous voulez consacrer votre vie à notre liberté commune, vous n'avez qu'à le faire. Si je veux me sacrifier, je peux le faire aussi. Mais aucun de nous deux n'a le droit de forcer les autres, à sacrifier leur vie, sans leur demander au moins leur avis. Si j'avais été le commandant de l'unité anti-aérienne qui aurait pu donner l'ordre de défendre Prague, je ne l'aurais décidé qu'à condition d'avoir la certitude que la grande majorité de mes concitoyens était prête à en supporter les conséquences, y compris celles qu'a subies par exemple la population d'Afghanistan.

Selon vous l'occupation et la défaite étaient-elles inévitables ?

Je n'ai pas dit cela. Cependant, je ne crois pas que l'occupation aurait pu être évitée, et que l'on aurait sauvé en même temps les valeurs essentielles du Printemps de Prague, en contrôlant mieux les mouvements à l'intérieur de la société, en mettant un frein aux désirs communs des gens, en empêchant les « extrêmes » de se manifester, en renforçant la discipline et la censure et en trouvant des compromis. Il me semble qu'on aurait pu l'éviter si le pouvoir s'était joint au grand mouvement populaire, s'il l'avait soutenu, s'il s'était identifié à lui, s'il avait utilisé toute son énergie à une défense préventive. Donc, il ne fallait pas cacher, passer sous silence, éteindre, essayer de régler les problèmes existants. Les dirigeants n'auraient pas dû se comporter, selon moi, comme des sujets coupables mais au contraire tirer le maximum de profit de la situation donnée. Le sens civique, le sentiment de fierté nationale, de souveraineté commençaient à s'éveiller dans la population — d'ailleurs à sa propre surprise. Si les dirigeants avaient adopté le même comportement de souveraineté, ils auraient pu compter sur l'appui de la base populaire. A ce moment, il existait donc une possibilité réelle de mobilisation morale de la nation, il était possible de compter sur la fierté civique renouvelée et de la renforcer systématiquement. C'est ce qu'avaient fait par exemple Tito pendant de longues années et Ceausescu en son temps, quand ils voulurent empêcher l'invasion soviétique. Il aurait suffi de répéter que le peuple tchécoslovaque ne se laisserait pas faire, qu'il tiendrait à défendre les valeurs acquises, qu'il n'autoriserait pas un seul soldat étranger à traverser notre frontière. Il aurait peut-être suffi d'organiser un système de protection civile par quartiers et il aurait été non moins utile d'organiser par exemple des exercices de mobilisation militaire, en dehors des manœuvres officielles du Pacte de Varsovie (je me souviens des effets de la mobilisation de l'armée tchécoslovaque en mai 1938). Les dirigeants du Kremlin ont décidé d'envahir la Tchécoslovaquie en sachant qu'ils ne rencontreraient pas — qu'ils ne pourraient pas rencontrer — une résistance armée. Bien que sclérosés, les dirigeants brejneviens savaient qu'il ne fallait pas risquer un nouveau Vietnam en plein centre d'une Europe armée jusqu'aux dents. Rendre le Kremlin hésitant en renforçant sans cesse et consciemment la volonté de la population de défendre son indépendance, sans exclure la possibilité d'une résistance spontanée de certaines unités de l'armée, aurait été peut-être suffisamment efficace. Les « extrémismes » qui se manifestaient au sein de notre société s'alimentaient pratiquement de l'incertitude et de l'inefficacité de nos dirigeants, incapables de prendre une position claire. S'ils avaient soutenu sans ambiguïté le mouvement amorcé par toute la société, ces « extrémismes », qu'ils craignaient tant, ne se seraient peut-être même pas produits et leur puissance potentielle aurait pu être détournée de la méfiance latente envers le pouvoir vers le soutien des intérêts de la société. Bref, si les dirigeants avaient utilisé habilement et d'une façon réfléchie le capital dont ils disposaient, ils auraient pu créer dans le pays une situation qui aurait fait hésiter les Soviétiques quant au succès de leur intervention armée. Tout en encourageant le sentiment de fierté nationale, on aurait dû chercher des soutiens et des liens solides au niveau international. Non pas sous forme d'accords militaires, pour cela il n'y avait pas de partenaires, mais sous forme de publicité faite aux événements, dans un contexte européen. Notre émancipation nationale aurait dû devenir synonyme, non pas de la déstabilisation du statu quo mais d'un phénomène positif contribuant à la paix en Europe, au-delà du cadre des deux blocs politiques et développant l'idée de l'égalité entre les pays souverains. Nous ne savons pas, et nous ne saurons jamais, si cette politique aurait eu plus de succès ; personnellement, j'ai l'impression que cela aurait été le cas. Si les opposants à l'intervention du bureau politique à Moscou avaient été plus nombreux, il se peut que l'évolution en URSS même en eût été accélérée. De toute façon, cela aurait mené à de nouvelles négociations avec les Soviétiques, au cours desquelles ceux-ci auraient dû faire preuve d'une disposition aux compromis. Nous aussi aurions été probablement amenés à faire des concessions — en politique c'est malheureusement inévitable — mais la catastrophe aurait pu être évitée. Les Soviétiques n'acceptent jamais des explications qui ressemblent à des excuses, c'est de l'eau apportée à leur moulin ; face à eux il faut rester ferme. Mais était-ce la voie à suivre par des gens pleins d'illusions ? Je ne le crois pas. Donc nous revoici à ces « si » insidieux. Pour être concret, je voudrais rappeler l'effet qu'a eu, aussi bien sur les Soviétiques que sur la population tchécoslovaque, la décision de nos dirigeants de ne pas se rendre à la réunion de Dresden. A la lettre d'invitation, ils ont répondu par une autre lettre, geste symbolique d'une importance capitale. Si elle avait marqué par sa signification morale le début de la souveraineté du Parti communiste tchécoslovaque et non sa fin, si elle avait été suivie d'autres gestes, comme par exemple l'interdiction des manœuvres du Pacte de Varsovie sur le territoire tchécoslovaque, la situation aurait été différence ; celui qui recule est toujours plus vulnérable. Au mois d'août, il était de toute manière trop tard pour faire quoi que ce soit. Et il est triste, voire tragique, de constater que notre population a profité de la déportation forcée de nos dirigeants malhabiles à Moscou, pieds et mains liés. D'une part, cela a stimulé sa résistance massive et pacifique, d'autre part cela a permis de libérer, en l'absence

Cette nuit-là nous étions justement, ma femme, l'acteur de théâtre Jan Tříska et moi, chez des amis à Liberec. Finalement, nous y sommes restés pendant toute la première semaine dramatique de l'occupation car nos amis nous ont immédiatement engagés — si je puis le dire ainsi — dans la résistance locale. J'écrivais tous les jours des émissions radiophoniques que présentait Jan Tříska ; nous préparions également des émissions télévisées dans un studio provisoire aménagé à Ještěd, nous faisions partie de l'équipe qui s'est créée autour du maire de la ville et nous l'aidions à coordonner différentes manifestations. J'ai même écrit une longue déclaration au nom du comité du parti, de l'hôtel de ville, de la sous-préfecture et du comité régional du front national, adressée à la population, diffusée à la radio et affichée partout sur les murs de la ville. Je crois que ce fut la première et la dernière fois que j'ai eu l'occasion de m'adresser à mes concitoyens par voie de ces institutions vénérables. Cette semaine passée à Liberec représente pour moi quelque chose d'inoubliable. J'ai vu des chars soviétiques démolir les arcades sur la place et enterrer sous leurs décombres plusieurs personnes. J'ai vu le commandant d'un char, devenu fou, tirer aveuglément dans la foule. De tout ce que j'ai vu et vécu, c'est la solidarité confraternelle de la population, caractéristique de ces journées-là, qui m'a le plus impressionné. A la radio, les gens nous apportaient de la nourriture, des fleurs et des médicaments sans que nous en ayons besoin. Dès qu'on n'entendait pas la voix de Jan Tříska pendant quelques heures, des coups de téléphone pleuvaient au studio car les gens voulaient savoir ce qui se passait. Le bâtiment de la radio était entouré de voitures blindées, chargées de blocs de béton pour empêcher tout assaut. Les usines nous délivraient des cartes d'identité du personnel pour que nous puissions nous cacher, en cas de danger, parmi les ouvriers. Les événements sanglants qui ont eu lieu à Liberec ont probablement permis que la ville ne fut pas occupée par l'armée soviétique et que celle-ci ne fit qu'y passer. C'est pourquoi la résistance de la population a été plus grande et plus variée que dans les autres villes occupées. Grâce à un folklore né de cette résistance, la ville avait l'aspect d'une œuvre d'art. Et rien n'a jamais aussi bien fonctionné que pendant ce temps-là. Les livres dont on avait besoin, étaient imprimés en deux jours, les usines fabriquaient sans tarder tout ce qu'il nous fallait. Je me souviens par exemple d'un événement caractéristique : à Liberec et dans ses environs opérait une bande d'une centaine de jeunes malfaiteurs avec en tête un certain « Curé ». Peu après l'invasion du pays, Curé s'est présenté à l'Hôtel de ville et a dit au maire : « Patron, nous sommes à votre disposition ! » Le maire était stupéfait mais l'a testé en lui confiant une tâche : « Bon, vous enlèverez toutes les plaques avec les noms des rues. Il serait inopportun de le demander à la police. » Curé a dit d'accord et le lendemain toutes les plaques étaient parfaitement rangées sous l'escalier de la mairie. Aucune n'était abîmée, on pourrait ainsi les réinstaller plus tard. Cela a donné lieu à une étonnante collaboration, car deux jours plus tard, on pouvait voir les membres de la bande à Curé se promener dans la ville avec l'insigne d'aide-policier sur le bras. Le maire a alors formé des équipes de trois : au milieu, un policier en uniforme et à ses côtés, deux jeunes aux cheveux longs et en jeans. Ces groupes assuraient également la garde permanente de l'hôtel de ville, la protection du maire et le contrôle d'identité des personnes qui entraient dans le bâtiment. Pour moi, c'était une image impressionnante de voir ces jeunes assurer leur service, assis sur les marches de la mairie, jouer à la guitare et chanter *Massachusetts* qui était à l'époque une sorte d'hymne des hippies. Je les observais et j'y étais d'autant plus sensible que je gardais encore en mémoire le souvenir frais de groupes de jeunes semblables dans East Village à New York, entonnant la même chanson mais sans les blindés à l'arrière-plan.

Je ne suis pas de ceux qui, tout le reste de leur vie — sous le choc de cette première semaine d'occupation — ne vivent plus qu'au travers du spectre de leur souvenir. Je ne tiens pas non plus à idéaliser ces moments. Mais je crois que tout cela a contribué à créer une situation particulière qui, jusqu'aujourd'hui, n'a pas été, à ce que je sache, analysée par les sociologues, philosophes, psychologues ou politologues. Certains phénomènes étaient cependant frappants au point qu'on les comprenait sur-le-champ, sans les analyser. La société, par exemple, me faisait penser à une bête étrange, aux réactions imprévisibles et aux visages multiples, parmi lesquels il serait erroné de considérer celui qu'elle était en train de montrer comme étant le seul vrai. Nous ne saurons jamais quelles disponibilités ce cachent dans l'âme de la population et lequel de ses états peut se manifester si les circonstances changent. Qui aurait cru, au moment où le régime pourrissant de Novotný était encore bien en place et où tout le monde adoptait avec talent un comportement digne du brave soldat Švejk, que six mois plus tard, cette même société afficherait une fierté sans précédent, et qu'un an après, à la place de l'apathie, du scepticisme et de la démoralisation d'antan, elle affronterait avec courage et intelligence une puissance étrangère? Et qui aurait cru qu'à peine un an après, elle retomberait à une vitesse vertigineuse dans une dépression pire encore que la précédente?

Au vu de ces expériences, il faut être prudent pour juger notre caractère national, ou pour se demander ce qu'on peut attendre de la part de notre population. Autre chose encore : au cours de cette semaine-là, il est apparu clairement qu'une force armée est impuissante face à un adversaire différent de celui qu'elle est entraînée à combattre. Cela a prouvé également qu'il est extrêmement difficile de dominer un pays qui ne se défend pas militairement, mais en tournant simplement le dos à l'agresseur. Et je ne parle pas du rôle capital, et encore insuffisamment évalué, des médias, car ils se sont substitués au pouvoir politique propre et se sont montrés capables de coordonner et d'organiser la vie de toute une société.

Cette semaine d'août, la première après l'invasion, constitue selon moi une expérience historique qu'il est impossible d'effacer de l'inconscient de notre population. On n'en connaît toujours pas la signification, on ne sait pas dire comment elle s'est inscrite dans le fonds génétique de la société, et sous quelle forme ou à quel moment elle se manifestera encore.

Comment voyez-vous les événements de la fin de l'année 1968 et du début de 1969? Et comment avez-vous vécu cette période-là?

Alors que je n'avais pratiquement pas participé à la vie publique avant le mois d'août, j'y ai été entraîné par le tourbillon des événements qui ont suivi l'occupation du pays. Nos dirigeants faisaient une concession après l'autre, dans l'espoir de sauver certains acquis du « Printemps de Prague ». Mais en réalité ils ne faisaient que couper la branche sur laquelle ils étaient assis. Lentement, bien qu'irréversiblement, se reconstituait l'ancien ordre, mais il était encore possible d'écrire et de parler librement. C'est ce qui donnait à l'atmosphère son aspect déchirant : on s'exprimait ouvertement et on ne pouvait, en fait, que dire son impuissance ; on protestait, et pourtant, on ne protestait que contre le silence qui suivait la contestation. C'était l'époque des grandes grèves des étudiants, des réunions sans fin, des pétitions, des négociations, des manifestations, des discussions violentes. Le bateau était en train de couler mais les passagers étaient encore autorisés à crier qu'il coulait. La mort de Jan Palach, qui aurait été inexplicable à un autre moment, a été parfaitement comprise par toute la société, parce qu'elle a été une expression limite, presque symbolique, de l'état d'âme collectif. Tout le monde a compris son besoin désespéré d'un acte extrême, quand tout restait sans réponse. Et chacun de nous ressentait une part de ce même besoin. J'ai participé à tout cela, il était d'ailleurs impossible de rester hors des événements. Je discutais avec les étudiants à l'Université, avec les ouvriers dans les usines, j'écrivais des déclarations, j'avais l'impression de devoir me trouver partout où il se passait quelque chose (j'ai même renoncé à un mois de séjour d'études en Italie, croyant naïvement que sans moi cela n'irait pas — mais je n'étais pas le seul à avoir cette impression). Je ne cessais de répéter, avec le plus d'insistance possible, qu'une concession produit une autre concession, qu'il ne fallait pas continuer à reculer parce que derrière nous il n'y avait que l'abîme, qu'il fallait honorer ce qui avait été promis, qu'il fallait demander des engagements ; je combattais, selon mon habitude, les illusions et les aberrations de toutes sortes. Bien que marqué par ces moments bouleversants, je m'efforçais de rester réaliste et modéré. Fidèle à l'esprit de *Tvář*, même si cela se passait à un autre niveau et dans d'autres circonstances, j'opposais à la grandiloquence gratuite de certains des revendications, plus modestes mais d'autant plus concrètes, qu'il fallait défendre à tout prix et jusqu'au bout. A une réunion importante — celle des comités des Unions des artistes et des écrivains — un célèbre acteur a pris la parole (le même qui, quelques années plus tard, n'hésitera pas à dénoncer à la télévision un de ses anciens amis qui avait signé la Charte 77) pour demander d'une façon emphatique la création d'un tribunal national par lequel seraient jugés les traîtres comme Indra, Bilak et d'autres. Une pure absurdité de la bouche d'un hystérique. Je me suis tout de suite levé pour dire qu'au lieu de faire des propositions irréalisables, il vaudrait mieux évaluer exactement nos possibilités et agir dans leurs limites : par exemple respecter inconditionnellement l'accord de solidarité qu'avaient signé les personnalités de la culture (et que peu après la plupart d'entre eux n'hésitèrent pas à renier.) J'ai dit aussi qu'il fallait s'en tenir opiniâtrement à des projets plus modestes et plus réalisables plutôt que de clamer des idées mégalomanes, sans conséquences pratiques et qui n'engagent de toute façon personne à rien. Les émotions qui se transforment en propositions emphatiques sont trompeuses : la grandeur de leur geste d'aujourd'hui peut se métamorphoser demain à un geste de résignation (le vengeur dramatique de la nation l'a parfaitement illustré). Un zèle lucide est plus efficace que les émotions enflammées qui s'attachent chaque jour à un but différent.

Puisque nous parlons de cette époque-là, je voudrais rappeler une petite histoire, sans importance apparente mais pour moi hautement symbolique. Lorsque Husák était déjà au pouvoir, les comités des Unions des artistes et des écrivains se sont réunis pour la dernière fois, sachant que prochainement celles-ci seraient réformées ou dissoutes, pour être remplacées par d'autres Unions, formées de membres dociles. On a décidé de rédiger une sorte de testament, ou de déclaration, adressé aux citoyens tchécoslovaques, dans lequel nous manifesterions la fidélité à nos opinions en toutes circonstances. Il devait donc s'agir d'un document suggestif ayant une certaine importance historique. J'ai été choisi pour le rédiger rapidement avec deux autres personnes. Cependant, au moment même où je travaillais sur ce manifeste dans un petit bureau du Club des cinéastes, je devais faire un discours non loin de là, dans une galerie d'art de la rue Spálená, au vernissage d'une exposition. En fait, je ne devais pas prononcer un vrai discours — pour cela mon ami peintre avait invité des critiques d'art — mais déclamer et chanter. C'était là son vœu un peu dadaïste, car il aimait mon interprétation fausse des chants patriotiques et mes déclamations ferventes des grands poètes tchèques par lesquelles j'amusais traditionnellement des amis au cours de nos soirées. Et effectivement, j'ai réussi les deux. Sous prétexte d'aller aux toilettes, j'ai quitté mes collègues en train de rédiger le manifeste historique des artistes et écrivains tchèques, pour faire mon numéro de chant et de déclamation devant les invités ébahis ; et, rentré à toute vitesse au Club des cinéastes, j'ai encore écrit le dernier paragraphe de la déclaration. Elle a été accueillie sans réserves, tout le monde l'a signée — et pratiquement personne ne l'a respectée. Mais j'évoque tout cela pour une autre raison : il me semble que ce parallélisme fortuit entre le fait de rédiger un manifeste important et en même temps celui de faire le pitre au vernissage d'une exposition est symptomatique, non seulement du climat paradoxal de cette époque-là et de ma situation, mais aussi du climat qui règne en général à Prague, en Bohême et en Europe centrale. N'est-il pas caractéristique que les événements douloureux que nous vivons ici, et face auxquels nous voulons tenir avec honneur, au prix de sacrifices difficiles à comprendre dans une situation différente, se mêlent à notre sens de l'ironie, à notre sens de la dérision ou à notre humour noir ? Ces deux choses-là ne sont-elles pas pour nous intimement liées ? Ne se conditionnent-elles pas mutuellement ? Il se pourrait que nous ne soyons pas en mesure d'assumer nos tâches historiques et de faire les sacrifices que notre situation nous demande, si n'existait pas ce décalage par rapport à la réalité et à nous-mêmes. Non seulement l'un n'exclut pas l'autre, mais il semblerait au contraire qu'il le rende possible. Les étrangers s'étonnent parfois de nous voir capables de supporter de telles épreuves et en même temps ils ont du mal à comprendre qu'on ne cesse d'en rire. Il est difficile d'expliquer que nous ne serions pas en mesure de faire des choses sérieuses sans rire. Car s'il nous fallait afficher de plus en plus de sérieux, proportionnellement à l'augmentation de la gravité de la situation, chacun de nous serait vite métamorphosé en sa propre statue ; et celle-ci ne pourrait plus écrire des manifestes, ni assumer une tâche quelconque. S'il ne faut pas — je reviens à ce que j'ai déjà dit — se dissoudre dans son propre sérieux au point d'en devenir comique, il faut avoir le sens de l'humour et de la dérision. Quand on les perd, notre activité perd aussi, paradoxalement, de son sérieux. Un acte peut devenir important à condition d'être engendré par l'homme conscient du caractère temporaire et futile de tout ce qui est humain. Son sens réel ne peut être mesuré qu'à travers le spectre de l'absurdité. Sinon c'est du superficiel, de l'éphémère, au même titre que l'idée du tribunal populaire jugeant Bilak. Je crois pouvoir dire que depuis dix-sept ans je n'ai pas dérogé au manifeste que j'avais signé. Même si je suis parti, pendant qu'on le rédigeait, pour faire mon numéro de clown. Peut-être justement parce que je l'ai fait. Et parce que je le fais toujours. Parfois on me demande comment s'apparente mon « idéalisme naïf » à mes pièces de théâtre. Je réponds que ce sont les deux côtés de la même pièce. Parce que, sans l'expérience de l'absurde toujours renouvelée, on n'aurait pas d'objectif précis devant soi. Et inversement ; comment ressentirions-nous le côté absurde de la vie sans chercher infatigablement son vrai sens ? Mais je crois m'être éloigné de votre question...

Ce n'est pas grave, revenons-y alors. En août 1969, donc à la fin de l'époque dont nous parlons, vous avez écrit une lettre personnelle à Alexander Dubček. Pourquoi l'avez-vous fait et de quoi s'agissait-il ?

Au cours de ces mois, on attendait avec impatience de connaître quel comportement Dubček allait adopter, s'il allait se décider à faire une autocritique ou par contre à mettre un point d'honneur à sa brève carrière politique. Je craignais qu'il n'aille tout gâcher par sa loyauté généreuse envers le parti et par son souci de « ne pas déranger ». C'est pourquoi je lui ai écrit une longue lettre où je lui expliquais qu'il était extrême- ment important, pour le destin futur de la nation et du socialisme, qu'il reste fidèle à lui-même au moment où, de toute façon, il n'avait plus rien à perdre. Je sais que la lettre lui est parvenue. J'ignore ce qu'il en a pensé. Il s'est effacé de la vie politique discrètement, timidement, sans trahir ses idées et sans se repentir, mais aussi sans marquer d'un coup significatif la fin de sa carrière politique. Récemment j'ai retrouvé par hasard la copie de ma lettre et un passage a attiré, après dix-sept ans, mon attention : là où je dis qu'un acte inspiré par des préoccupations d'ordre moral, bien que sans espoir de produire un effet politique immédiat, peut néanmoins être revalorisé avec le temps. Cette idée, j'allais la partager avec d'autres amis plus tard, au moment où devait naître la Charte 77 et j'essaie, en rapport avec les activités des chartistes et des « dissidents » d'aujourd'hui, de la développer, de l'approfondir et de la préciser.

Voudriez-vous nous rappeler les circonstances dans lesquelles est née la Charte 77 ?

Pour moi, personnellement, tout a commencé en janvier ou en février 1976. Je me trouvais seul à Hrádeček, dehors il y avait une tourmente de neige, c'était la nuit et j'étais en train d'écrire. Soudain, quelqu'un a frappé à la porte. J'ai ouvert et j'ai vu un ami, transi de froid et ressemblant à un bonhomme de neige. Nous avons passé le reste de la nuit à boire la bouteille de cognac qu'il avait apportée et à bavarder. Au cours de la conversation, il m'a proposé de me faire rencontrer Ivan Jirous, qu'il fréquentait depuis quelque temps. Je connaissais un peu Jirous, nous nous étions vus deux fois à la fin des années soixante, mais depuis, je n'avais eu que quelques échos de son activité, apparemment fougueuse, qui se sont heureusement révélés faux. Jirous avait créé une association underground autour d'un groupe de musique rock non-conformiste, dont il était le directeur artistique. Lui-même avait sur moi, au dire de mon ami, une opinion plutôt mauvaise. Pour lui, je faisais partie des opposants tolérés, donc d'une sorte d'establishment de dissidents officiels. Un mois plus tard, quand je suis retourné à Prague, j'ai donc revu Jirous. Il avait les cheveux longs jusqu'aux épaules, et tandis qu'il me parlait de lui et de ce qu'il faisait, d'autres jeunes, avec les mêmes cheveux longs, passaient chez lui. Il m'a montré son *Rapport sur le troisième réveil musical tchèque* et m'a fait écouter des enregistrements de Plastic people, de DG 307 et d'autres groupes sur son magnétophone catarrheux. Je ne suis pas spécialiste de musique rock mais j'ai tout de suite compris que c'était étonnamment suggestif. Il ne s'agissait pas d'expériences extravagantes de quelques dilettantes qui auraient voulu se distinguer à tout prix, comme on nous le faisait croire, mais d'une expression authentique de jeunes écrasés par la misère de ce monde, inquiétante par sa magie musicale et son message d'avertissement. J'ai bien senti que c'était quelque chose de grave, de vrai, que c'était l'expression libre d'une expérience existentielle compréhensible par tous ceux qui n'étaient pas encore entièrement abrutis. Les explications de Jirous ont mis fin à ma méfiance née d'informations erronées, souvent fragmentaires et moqueuses. J'ai bien compris que la vérité se trouvait du côté de ces jeunes, malgré les mots vulgaires qu'ils utilisaient et leurs cheveux longs. Il émanait de leur for intérieur, de leur position et de leur art une sorte de pureté, de timidité et de vulnérabilité. Leur musique parlait de l'angoisse métaphysique et du désir de salut. Il me semblait que l'underground de Jirous pouvait apporter l'espoir aux plus déshérités. Au même moment, j'aurais déjà dû me trouver à une soirée chez Pavel Kohout ; je me suis excusé, Pavel m'en voulait mais je ne pouvais pas lui expliquer au téléphone pourquoi cette rencontre était pour moi ce jour-là plus importante. Nous sommes allés avec Jirous dans un bar et nous y sommes restés jusqu'au matin. Il m'a invité au concert, qui devait se donner quinze jours plus tard dans les environs de Prague. Ce concert n'a pas eu lieu : Jirous a été arrêté, son groupe et ses chanteurs de l'underground aussi, soit dix-neuf personnes. Je l'ai appris à Hrádeček. Je suis rentré immédiatement à Prague parce qu'il fallait faire quelque chose et parce que je savais que c'était à moi de le faire. Je savais aussi qu'il ne serait pas facile d'obtenir une large sympathie envers ces jeunes gens. Parmi ceux qui pouvaient agir en leur faveur, pratiquement personne ne les connaissait et la méfiance à leur égard était grande, elle ressemblait à la mienne avant ma rencontre avec Jirous. Je n'avais aucun argument qui m'aurait permis de prouver qu'ils n'étaient pas des cossards, des provocateurs, des alcooliques et des toxicomanes comme les présentait le régime dans l'intention de régler leur compte sans complications. En même temps, je savais qu'il fallait faire quelque chose, non seulement pour le principe même, étant donné qu'il s'agissait de prisonniers innocents, mais aussi parce que leur cas était exceptionnel et nous concernait tous. Quand les condamnés du début des années soixante-dix, tous victimes de la vengeance politique, avaient été libérés, le régime les avait considérés, à juste titre, comme les opposants, les traitant comme des vaincus qui avaient refusé de déposer les armes. Lorsque la série des procès s'était terminée avec eux, il semblait bien que d'autres procès n'auraient plus lieu et que l'emprisonnement resterait une forme de menace de dernière instance, le pouvoir ayant réussi à mettre sur pied d'autres moyens de manipuler la société. Et puisqu'on considérait cet état de choses comme un statu quo, le cas de Plastic people ressemblait, dans ce contexte, à une affaire de criminalité ordinaire. Et pourtant, cette confrontation avec le pouvoir était à sa manière plus importante et plus dangereuse que les procès du début des années soixante-dix. Ici, on ne réglait plus ses comptes avec des opposants politiques qui devaient savoir à quoi ils s'exposaient, ce n'était plus une lutte de deux groupes politiques alternatifs. C'était pire ; c'était une attaque lancée par le système totalitaire contre la vie normale, la liberté et l'intégrité humaine. Ce système ne s'en prenait plus aux anciens combattants idéologiques, mais aux jeunes qui n'avaient aucun passé politique, qui voulaient tout simplement vivre à leur façon, faire de la musique, chanter, vivre en accord avec leurs opinions et s'exprimer en accord avec leur vérité. Si cette offensive de la justice n'avait réveillé aucun écho, elle aurait pu devenir un précédent dangereux. On se serait habitué à voir emprisonner tous les gens qui pensent autrement, qui s'expriment différemment, ne serait-ce qu'en privé. En tant qu'agression contre la liberté d'esprit — présentée par le régime sous les traits d'un acte criminel afin de garder certaines chances de justification devant l'opinion publique mal informée — c'était très alarmant. Le pouvoir trahissait ainsi ses intentions profondes : uniformiser la vie, amputer la réalité de tout ce qui pouvait être dérangeant, différent, spécifique, indépendant ou inclassable.

Je considérais donc que ma tâche consistait à donner à cette affaire les plus grands retentissement et impulsion possibles afin d'aboutir à des manifestations de sympathie en faveur des inculpés. Je savais qu'un de mes anciens collaborateurs de *Tvář*, Jan Němec, philosophe et psychologue, s'était rapproché d'underground quelque temps auparavant, et je ne voulais rien entreprendre avant de le consulter. Nos contacts furent d'abord circonspects. Lui était prudent, notamment parce que nous étions toujours sous le coup de la déchirure qui avait secoué *Tvář;* depuis lors, je devais représenter pour mes anciens collègues pratiquement ce que Trotski avait représenté pour Staline. (Mais pour être juste, je dois ajouter qu'ils ont publié, lorsque j'ai été emprisonné après la Charte 77, une déclaration collective en ma faveur.) Comme lui aussi avait évolué, le passé a été effacé et nous nous sommes mis d'accord. Je dois dire que c'est seulement après cette nouvelle rencontre que nous sommes devenus de vrais amis. Nous avons organisé ensemble une campagne de soutien pour les Plastic people. Ce travail nous a beaucoup apporté et nous nous sommes aussi enrichis mutuellement. Jusqu'ici, Jan Němec voulait rester à l'ombre de la vie publique et politique. Il tenait à son travail pour l'underground, à son activité dans les milieux catholiques et à sa participation aux séminaires philosophiques indépendants, et il ne voulait pas les compromettre à cause d'un conflit quelconque avec le pouvoir. Il était donc plus partisan d'un travail « intérieur » que d'une activité « extérieure ». Voyant que les Plastic people ne pouvaient être aidés que par une campagne publique, il a accepté de changer son comportement. Je crois lui avoir servi de guide dans ce domaine, le connaissant mieux que lui. Quant à lui, il me faisait sortir du milieu des « opposants institutionnalisés ». Nous avons bien préparé notre campagne : elle devait commencer par des démarches modestes qui deviendraient progressivement plus significatives. Sachant que le régime ne changerait plus sa position, nous voulions lui donner la chance de reculer tout en sauvant l'honneur et non qu'il se cramponne directement, pour des raisons de prestige. Nous nous sommes mis à informer des amis et leur demandions de s'associer à notre cause. Au début, nous nous heurtâmes à l'incompréhension, mais cela semblait logique vu la réputation des Plastic people. Cependant, la méfiance disparut plus vite qu'on ne s'y attendait. Les gens des différents milieux comprirent que la liberté menacée des uns concernait la liberté de tous et qu'il fallait les défendre d'autant plus vigoureusement que tout semblait se retourner contre eux. Ils étaient pratiquement méconnus et leur non-conformisme les désavantageait. Non seulement le pouvoir, mais aussi les gens ordinaires pouvaient les considérer comme des éléments dangereux pour la société. La vitesse avec laquelle les personnes même très éloignées de l'art que pratiquaient les Plastic people abandonnèrent leurs préjugés, témoignait parfaitement du revirement de situation qui régnait à l'époque. Comme je l'ai dit, c'était la période du premier redressement, de la fatigue qui s'avérait monotone, c'était la période où différents milieux voulaient sortir de l'isolement et savaient que pour cela il fallait regarder au-delà de l'horizon. Le terrain était donc préparé pour les manifestations qui rassembleraient les gens de milieux jusqu'alors séparés. S'il avait fallu défendre les Plastic people deux ou trois ans auparavant, notre effort serait probablement passé inaperçu. Cette fois, il a abouti à une lettre ouverte des écrivains, parmi lesquels il y avait Seifert, Černý et Kosík, Heinrich Böll, et à une pétition signée par plus de soixante-dix personnes. Dès ce moment, l'affaire des Plastic people connut une résonance internationale (d'autant plus forte que, depuis longtemps, on ne parlait plus de la Tchécoslovaquie et que cet événement avait attiré l'attention sur notre pays). Elle fit tant de bruit que tout alla désormais tout seul. Ensuite, comme si nous avions préparé le coup, alors que ce n'était pas le cas, les juristes ont également élevé la voix ; et finalement (ce qui a dû choquer en particulier les dirigeants), même des anciens hauts fonctionnaires du parti, par l'intermédiaire de Mlynář. L'éventail était complet et même si cela ne transparaissait pas directement dans les signatures recueillies, le cas des Plastic people a rassemblé d'une façon informelle — grâce à de nouveaux contacts établis et à des amitiés qui se sont créées à cette occasion — des cercles, jusqu'ici isolés, qui allaient représenter la base future de la Charte 77. (Ici je devrais interrompre mes souvenirs par une note importante. Je ne fais pas un cours d'histoire, j'évoque les événements tels que je les ai vécus et perçus. Ma vision est donc subjective, c'est un regard sur ce qui s'est passé là où je me trouvais. Je ne peux pas exclure que d'autres les ont vus autrement et que, de leur point de vue, les choses peuvent paraître différentes. Par exemple en 1976, cela a commencé à bouger également parmi les anciens membres du parti. Même si c'était sans rapport direct avec l'affaire des Plastic people, pour l'avenir c'était également important. Ils ont exprimé à plusieurs occasions leur point de vue collectif et envoyé une lettre à la conférence des partis communistes qui se tenait à Berlin.) Le pouvoir a été étonné et pris au dépourvu par les événements que l'affaire des Plastic people avait provoqués, ne s'attendant pas à de telles conséquences. Il supposait que tout serait vite réglé, comme à l'accoutumée, quand sont jugés les criminels ordinaires.

Il a donc d'abord tenté une contre-attaque par une campagne de diffamation (une émission télévisée, des articles dans la presse, notamment dans l'hebdomadaire des jeunes, *Mladý svět*), mais ensuite il s'est mis à reculer. Les emprisonnés étaient progressivement relâchés, comme si tout devait être étouffé. Finalement, seules quatre personnes ont été jugées et condamnées aux peines correspondant à leur détention préventive ou la dépassant de quelques mois. Jirous a été évidemment condamné à la peine la plus lourde.

Ce fut un procès célèbre et vous connaissez probablement le texte qu'il m'a inspiré. On pouvait encore se rassembler dans les couloirs et sur les escaliers du palais de justice, on pouvait encore apercevoir les inculpés menottes aux poings et les appeler. Tous ces droits ont disparu au fur et à mesure que croissait la solidarité avec les inculpés. Les personnes rassemblées au palais de justice étaient le présage de la Charte 77. L'ambiance d'égalité, de solidarité et de fraternité ainsi que la volonté de se soutenir mutuellement résultaient du danger et de la nécessité de défendre une cause commune. Ils caractérisaient non seulement l'atmosphère du palais de justice mais aussi les premiers mois de la Charte. Jiří Němec et moi avons senti qu'il fallait sauvegarder cet esprit et le transformer en un acte dont la portée aurait été plus durable et qui aurait permis de concrétiser cette atmosphère unique. Evidemment, nous n'étions pas les seuls à avoir cette impression, d'autres la ressentaient sans doute aussi. Nous en avons parlé avec Pavel Kohout qui pensait la même chose que nous, ainsi qu'à Zdeněk Mlynář que nous avons contacté par l'intermédiaire de Vendelín Komeda. Ces investigations ont finalement abouti à une première réunion qui s'est tenue le 10 décembre 1976, à laquelle ont participé Mlynář, Kohout, Němec et moi, le propriétaire de l'appartement où elle se déroulait et Komeda, qui l'avait préparée. Ont suivi deux autres réunions où sont venus encore Petr Uhl, Jiří Hájek et Ludvík Vaculík. Comprenez-moi bien, la Charte est le résultat d'une volonté commune de ses signataires, et peu importe de savoir qui précisément l'avait préparée. Si j'évoque tout de même ces réunions, je le fais ici pour la première fois avec le souci de noter certains événements, étant donné que notre mémoire faiblit et qu'un jour des historiens pourraient nous reprocher d'avoir gardé le secret jusqu'à l'oubli. C'est donc au cours de ces réunions-là que la Charte a pris corps. Chacun de nous consultait des gens de confiance au sujet de son projet, ce qui fait que de nombreuses personnes étaient déjà mises au courant pendant sa phase préparatoire. Dans le milieu des anciens fonctionnaires du parti, rassemblés autour de Mlynář, on avait déjà envisagé la création d'un comité pour la défense des Droits de l'homme ou d'un comité Helsinki, selon le modèle de ceux qui étaient apparus en URSS. Cependant, un tel comité ne pouvait avoir qu'un nombre restreint de membres en accord sur les critères de leur choix. La situation démontrait qu'il fallait envisager plutôt la création d'une association plus large et plus ouverte. Nous avons donc décidé de nous tourner vers « l'initiative civique ». Dès le début, il était évident — on doit souligner que c'était là le prétexte et non le résultat de ces réunions — qu'il fallait aboutir à quelque chose de durable et pas seulement à une proclamation. Il n'en était pas moins clair que cette association aurait un caractère pluraliste, que tous seraient égaux et qu'aucun groupe, même le plus puissant, ne jouerait de « rôle dirigeant » et n'imposerait son style. A la première réunion, les contours n'apparaissaient pas encore nettement, on avait juste décidé de préparer une déclaration pour la réunion suivante. Je me souviens que Hejdánek, que nous étions allés voir avec Němec, nous avait proposé de nous appuyer sur les déclarations des Droits de l'homme qui venaient d'être publiées. Mlynář y pensait également au même moment. C'est ainsi que la première version de la charte a pris corps. Je me souviens bien qui l'a formulée, qui a ajouté ceci ou a barré cela, mais par principe je ne veux pas le révéler car cette déclaration est l'expression d'une volonté collective à laquelle chacun des signataires servait de garant et je trouve que c'est une belle tradition que de conserver son anonymat. Je peux seulement dire que son nom, la Charte 77, a été trouvé par Pavel Kohout. Au cours des deux réunions suivantes, on a discuté le texte de la déclaration, chaque mot a été bien pesé, on a choisi les premiers porte-parole et décidé la manière dont allaient être recueillies les signatures. A ce moment-là, on ne savait pas encore comment, concrètement parlant, la Charte allait travailler. Quant aux porte-parole, on a tout de suite imaginé que l'un d'eux devrait être Jiří Hájek ; il allait d'ailleurs être également le président du comité que les anciens fonctionnaires du parti envisageaient de créer. Petr Uhl, si je ne me trompe, a proposé trois porte-parole. Son idée a été acceptée non seulement parce que le caractère pluraliste de notre association était ainsi mis en évidence, mais aussi parce que cela pouvait avoir des avantages pratiques. Et c'était aussi Petr qui m'a proposé comme autre porte-parole (mais il semble que c'était l'idée de sa femme, Hanička Šabatová). Je ne prévoyais pas ce que cela représenterait pour moi ; je craignais, à juste titre, que cette tâche m'empêchât d'écrire pendant longtemps. A vrai dire, je n'étais pas très chaud, comme d'ailleurs aucun des futurs porte-parole, mais je ne pouvais pas refuser. Il aurait été absurde de renoncer à la responsabilité d'une association dont l'importance me semblait évidente, pour laquelle je voulais obtenir la sympathie des autres et dans laquelle j'avais investi toutes mes forces. Je ne me souviens plus qui a proposé comme troisième porte-parole Jan Patočka (il se peut que ce soit Jan Němec) mais je me souviens que nous soutenions sa candidature avec Jiří et que nous expliquions son impact à ceux qui ne le connaissaient pas bien. Il nous semblait qu'il représenterait une personnalité équivalente à celle de Hájek, mais issue du milieu noncommuniste, et qu'il imprégnerait la Charte d'une dimension éthique — ce qui s'est avéré tout à fait juste — que personne d'autre ne pourrait lui donner. Je suis allé plusieurs fois chez lui, seul ou accompagné de Jiří Němec, et je dois dire qu'il hésitait beaucoup. Il ne s'était jamais directement engagé dans la vie politique ou civique, il n'avait jamais provoqué de confrontation avec le pouvoir. Il était réservé, modéré, presque timide. Comme s'il préférait la stratégie de la guerre des tranchées. Il ne reculait jamais devant les positions acquises pour ne pas déroger à ses opinions, mais il ne se lançait pas non plus dans des attaques. Il se consacrait entièrement à la philosophie et à son travail pédagogique, il restait fidèle à ses idées mais évitait soigneusement tout ce qui aurait pu menacer son activité. En même temps il savait, du moins je le comprenais ainsi, que sa pensée devrait un jour se refléter dans des actes, qu'il ne serait pas possible d'éviter cette confrontation ou de la contourner à l'infini, sinon sa philosophie risquerait d'être remise en cause. Et il savait aussi que ce dernier pas serait définitif, qu'il n'y aurait plus de porte de secours, car il s'y tiendrait comme il tenait à ses opinions philosophiques. C'était probablement l'une des raisons de sa réserve. C'était un homme qui réfléchissait longuement avant d'agir, mais lorsque sa décision était prise, il défendait sa démarche jusqu'au bout. Je pense que d'autres personnes aussi l'ont persuadé d'accepter le rôle de porte-parole ; il paraît que son fils exerçait, dans ce sens, une influence considérable, mais il y avait aussi ceux qui, par contre, essayaient de le décourager. J'ai été, moi-même, l'acteur d'une histoire à la suite de laquelle Patočka a finalement pris sa résolution : il m'a avoué avoir hésité également à cause de Václav Černý. Celui-là s'était engagé depuis toujours, et ses positions avaient été, par exemple pendant la guerre, beaucoup plus courageuses. Bref, moralement il avait un plus grand droit d'être chargé de cette fonction, il pouvait se considérer à juste titre oublié et en vouloir à Patočka si celui-ci acceptait d'être porte-parole. Il semblait donc que Patočka soit gêné de faire ce qui incombait plutôt à Václav Černý, comme s'il craignait sa réaction. J'ai quitté Patočka et je suis allé directement chez Černý à qui j'ai tout expliqué. Que Patočka ne voulait pas accepter ce poste sans sa bénédiction, parce qu'il le considérait comme le premier sur la liste, mais qu'il fallait tout de même le rallier à notre cause. Parce que son profil politique n'était pas si incisif, il pourrait agir en tant qu'autorité unificatrice, tandis que lui, Černý, avec son caractère tranché, repousserait certaines personnes et il serait alors impossible de prévoir comment cela se refléterait sur le travail de la Charte. Černý a immédiatement acquiescé. C'était sincère et, je crois, sans la moindre amertume. Je suis retourné chez Patočka et je lui ai rapporté mon entretien avec Černý. Il était visiblement soulagé et j'avais l'impression que le dernier obstacle était tombé. Patočka est devenu le troisième porte-parole, il s'est lancé pleinement dans le travail et a payé littéralement de sa vie ce dévouement. J'ignore à quoi ressemblerait la Charte s'il n'avait pas, au début, illuminé son chemin par la clarté de sa personnalité.

Mais revenons aux réunions préparatoires. Nous avions convenu de recueillir les signatures peu à peu, pendant les fêtes de Noël, dans le cadre des visites de vœux, pour ne pas trop attirer l'attention. On avait désigné une dizaine de « rassembleurs » de signatures et déterminé le cadre de leur activité. Je m'occupais du côté technique du travail, je distribuais la déclaration et expliquais comment procéder pour rassembler les signatures. Je les recueillais aussi parmi mes amis, notamment dans le milieu des écrivains. Nous avions convenu de l'heure et du jour — entre Noël et Nouvel an — où les listes signées devraient être rassemblées chez moi. Ensuite il a fallu classer les signataires par ordre alphabétique pour les expédier ainsi à l'Assemblée nationale et les publier. En attendant, on recopiait la déclaration pour que chaque signataire en obtienne un exemplaire. On devait être prêt pour le 1er janvier mais l'affaire ne devait éclater qu'une semaine plus tard. Il fallait préparer la publicité adéquate et la synchroniser avec la remise du document aux autorités. Je dois dire que le jour où les signatures devaient être rassemblées chez moi, j'étais un peu anxieux. Certains signes laissaient prévoir que la police avait été mise au courant (et le contraire aurait d'ailleurs été surprenant) ; j'avais peur qu'elle ne vienne juste au moment où nous serions en possession des listes et qu'elle ne nous les confisque. Mon angoisse ne faisait que croître car il était déjà presque cinq heures et Zdeněk Mlynář, chargé de rassembler les signatures parmi les anciens membres du parti, n'était toujours pas là, alors que le rendez-vous avait été prévu pour quatre heures. Finalement, il est venu, nous nous étions mal concertés. Il avait apporté plus de cent signatures, c'était épatant. En tout, nous avions rassemblé deux cent quarante-trois signatures. La police n'est pas venue, nous avons réglé les affaires administratives et fêté l'événement au champagne. Pendant le temps mort, entre la clôture du dossier et l'éclatement de l'affaire, une autre grande réunion a eu lieu chez moi, à laquelle ont participé quelque vingt-cinq personnes. On a discuté les modalités du travail de la Charte et la façon d'agir dans telle ou telle circonstance. Nous savions qu'après, une telle réunion ne pourrait plus avoir lieu. J'ai accueilli de nombreux amis, entre autres Jaroslav Šabata que je voyais pour la première fois depuis sa libération. On m'a demandé de diriger la réunion et j'éprouvai un sentiment particulier lorsque je donnais la parole aux anciens professeurs d'université, aux anciens ministres ou aux secrétaires du parti. Mais les autres le prenaient normalement, le sentiment d'égalité était effectivement, pendant ces premiers mois de la Charte, très fort.

Je devrais ajouter encore quelques mots sur le caractère pluraliste de la Charte. Ce n'était pas chose facile, il fallait souvent oublier les anciennes querelles, mais tout le monde y parvenait, sachant que l'intérêt commun le demandait et que nous étions à l'origine d'un événement historique. C'est ici qu'est née la vraie tolérance sociale (et pas seulement un accord entre les partis politiques sur l'interdiction d'autres partis du front national, comme cela s'était produit après la guerre), un événement qu'il ne serait plus possible d'effacer de la mémoire collective, un défi auquel on pourrait se référer à chaque situation nouvelle. Pour de nombreux non-communistes, c'était un pas difficile à faire, mais pour les communistes aussi, il était difficile. Car en se tournant vers l'extérieur, vers le public, en sortant de leur propre ombre, ils devaient nécessairement abandonner le principe du « rôle dirigeant du parti » Même si ceux qui s'y attachaient encore étaient relativement rares, cela restait toujours inscrit dans leur sang et dans leurs mentalités. Zdeněk Mlynář a eu le plus grand mérite d'avoir reconnu, grâce à sa finesse politique, l'urgence de ce pas et persuadé ses amis de le franchir.

Avez-vous élaboré à ce moment-là un plan d'activité ?

Pendant longtemps, on ne savait pas comment la Charte 77 devait agir concrètement. Ce n'est qu'au cours de la grande réunion qui s'est tenue chez moi qu'on a décidé de publier non seulement des communiqués d'actualité ou des prises de position, mais surtout des documents synthétiques sur des sujets concernant différents domaines de la vie sociale. Même cela n'était pas évident. Certains parmi nous croyaient par exemple qu'on devait publier exclusivement des documents sur des cas de violation des Droits de l'homme, d'une certaine manière caractéristiques ou significatifs. Dans ce cas-là, la Charte aurait donc travaillé comme le comité de la Défense des injustement poursuivis (VONS) qui s'est créé plus tard, sauf qu'elle ne se serait pas limitée à l'activité de la police et de la justice mais aurait embrassé la vie de toute la société. Je craignais par exemple que les premiers signataires de la déclaration, même si tout y était explicitement formulé, la considèrent comme un manifeste et non comme un engage-ment à un travail de longue haleine. Heureusement, mes craintes ne se sont pas confirmées.

D'après ce que j'ai entendu dire, vous n'avez pas rendu publics les noms de tous les signataires. Combien, selon vous, étaient-ils réellement à ses débuts ?

Aujourd'hui ils sont à peu près mille deux cents. Je ne connais pas leur nombre exact et il me paraît difficile de le savoir. Il est vrai qu'au début une vingtaine ou une trentaine de personnes qui avaient signé la Charte n'ont pas souhaité voir leurs noms publiés. Nous avons respecté ce vœu ; cependant, lorsque la police a confisqué les listes avec les noms secrets, nous avons renoncé à cette pratique (la police a mis certains noms à la disposition de ses propagandistes, comme par exemple celui du

114

Docteur Prokop Drtina). Et même s'il nous semblait dès lors plus facile de garder secrète l'identité de certains signataires, nous avons considéré que ceux-ci n'apportaient pas grand-chose à notre cause. Ceux qui sympathisent avec la Charte mais pour des raisons personnelles ne souhaitent pas faire connaître cette sympathie, trouveront certainement une meilleure façon d'exprimer leurs opinions que d'apposer simplement leur signature sur un papier qui va être ensuite soigneusement caché. Il n'y a donc pas de Charte souterraine. Je devrais ajouter que nous avons déconseillé à certains de nos amis de signer la Charte parce que de toute façon leurs activités correspondent à son esprit et qu'en la signant, ils risquent de les mettre en péril. Ce fut notamment le cas de Vlasta Třesňák et de Jaroslav Hutka ; cependant, plus tard, ils ont signé aussi.

On connaît bien les conséquences de la déclaration de la Charte 77 et de nombreux spécialistes des sciences politiques s'occupent aujourd'hui d'évaluer l'importance du mouvement que vous avez déclenché. C'est pourquoi je voudrais plutôt vous demander comment vous avez vécu votre premier emprisonnement et les années qui ont suivi.

Après que notre déclaration a été rendue publique et que la campagne contre la Charte a démarré (le pouvoir lui a assuré ainsi dès le début une fabuleuse publicité), j'ai passé une des semaines les plus mouvementées de ma vie. A ce moment-là, nous habitions avec Olga le quartier de Dejvice, donc sur la route de la prison de Ruzyně, et notre appartement commença vite à ressembler à la bourse de New York le jour du krach ou à un foyer révolutionnaire. Après des interrogatoires à Ruzyně, qui duraient toute la journée, tout le monde venait, communiquait des nouvelles, rédigeait différents textes, recevait des correspondants étrangers, téléphonait un peu partout dans le monde. Les dix heures consécutives, et même plus, de résistance à l'instruction agressive de policiers étaient suivies d'une activité fiévreuse qui se terminait tard dans la nuit et que nos voisins devaient supporter avec beaucoup de courage. Je pressentais, même si concrètement rien ne le justifiait, que cela ne pouvait se terminer que par mon emprisonnement. Ce sentiment était de plus en plus fort et finalement je souhaitais que cela arrive le plus tôt possible pour ne plus devoir vivre dans cette incertitude énervante. Le 14 janvier je ne suis pas rentré de l'interrogatoire. Après une journée d'instruction « normale », on m'a emmené dans une grande pièce où différents commandants et colonels de la police essayèrent de me faire peur. Ils affirmaient posséder des preuves de mon activité qui me vaudraient au moins dix ans d'incarcération, ils me répétaient que « les plaisanteries étaient finies » et que la classe ouvrière allait déchaîner sa haine contre moi. Au petit matin, ils m'ont mis dans une cellule. Quand j'ai été libéré, j'ai écrit un texte d'une centaine de pages sur les premiers jours de la Charte, sur les circonstances de mon arrestation et de mon emprisonnement. Mais je l'ai si bien caché que je ne sais même plus où il se trouve. Peut-être le retrouverai-je un jour ? La raison principale de mon emprisonnement était, je crois, évidente : parmi les porte-parole j'étais le plus jeune, j'étais le seul à posséder une voiture et ils supposaient, avec raison, que j'étais le moteur de la Charte et son principal organisateur. Patočka et Hájek étaient probablement considérés comme des personnalités représentatives, plus modérées et réservées. Ils espéraient mater la Charte en m'emprisonnant. Là, ils se sont tout à fait trompés. Elle ne fonctionna probablement jamais aussi bien que pendant le temps où je fus en prison. Comme je l'ai appris plus tard, Patočka et Hájek lui consacraient tout leur temps, ils faisaient le tour des gens concernés et organisaient tout. Lorsqu'on demandait à Patočka de céder au moins une partie de son travail à d'autres amis, il répondait : « Je suis le porte-parole et je suis encore capable de marcher. »

Pour ne pas mettre en question la thèse officielle, selon laquelle la Charte devait être affrontée « politiquement » et non par la force, mon arrestation devait se justifier autrement : c'était le cas « Ornest et Cie ». Ornest avait été accusé d'avoir fourni des articles rédigés en Tchécoslovaquie à la revue parisienne *Svědectví*. Mes interrogatoires concernaient évidemment à quatre-vingt-dix pour cent la Charte, mais la Sûreté espérait, en m'associant au cas Ornest, prouver la thèse officielle, selon laquelle la Charte était inspirée et dirigée de l'étranger. Il lui fallait démontrer que la déclaration avait été publiée dans la presse étrangère grâce à mes contacts secrets avec Tigrid, par l'intermédiaire d'Ornest. Cependant, cela n'a pas pu être prouvé car cela ne correspondait pas à la vérité — tout a été beaucoup plus simple, tout s'est passé autrement.

Quant à mon emprisonnement, je le supportais assez mal à cause d'un concours bizarre de circonstances, mais j'en ai déjà parlé plus haut. Le plus difficile a été la dernière semaine, où je savais que je serais libéré prochainement et en même temps déshonoré, et que c'était en partie de ma faute. Je dormais à peine une heure par jour, le reste de mon temps je me tourmentais et tourmentais mon codétenu, un petit cambrioleur de self-services. Il le supportait plutôt calmement, je crois qu'il me comprenait et essayait de m'aider. A ce moment-là, j'étais prêt à lui procurer, par reconnaissance, un self-service. Mon humiliation était d'autant plus pesante que la police avait par exemple annoncé que j'avais décidé de démissionner de la fonction de porte-parole de la Charte, ce qui était faux. J'étais effectivement décidé à donner ma démission (mais à ceux qui m'avaient chargé de cette fonction et non pas à la police) pour des raisons que je considère, encore aujourd'hui, comme valables. Mais je ne l'ai, évidemment, pas fait en prison. J'ai juste commis l'énorme erreur de l'avoir dit à mes interrogateurs. Au cours des premiers jours qui ont suivi ma libération, je me trouvais dans un tel état psychique que n'importe quel asile de fous m'aurait accueilli avec plaisir. A cette profonde dépression, se mêlaient les symptômes typiques de la psychose des prisonniers libérés, y compris l'euphorie. Celle-ci était d'autant plus grande qu'entre mon arrestation et ma libération, tout s'était passé différemment. La Charte n'était pas réprimée, mais au contraire, elle vivait sa période héroïque. J'étais sidéré par le travail accompli, par son retentissement, par l'explosion des textes écrits avec tant de liberté d'esprit, par l'ambiance de solidarité qui s'était créée dans le milieu des signataires. Il me semblait qu'en l'espace de quelques mois, l'histoire avait plus avancé que pendant les huit dernières années. (Cette atmosphère aujourd'hui n'y est plus, l'ère héroïque de la Charte a été, depuis longtemps, remplacée par l'étape pénible du travail quotidien, mais c'est une évolution logique.) Si les états de psychose qui ont suivi ma libération

117

ont disparu avec le temps, certaines contradictions et un certain désespoir propre à cette époque m'ont marqué pour les deux années à venir — c'est-à-dire entre mai 1977, date de ma libération, et mai 1979, où je suis rentré en prison « pour de bon ». Entre-temps, je me suis lancé dans l'activité politique d'une façon exagérée, tordue, quasi hystérique pour me « réhabiliter » du discrédit. J'étais le cofondateur du comité de la Défense des injustement poursuivis, j'étais redevenu le porte-parole de la Charte, je m'engageais dans des polémiques (la Charte venait de traverser sa première crise, mais une crise utile car elle résultait des doutes sur ses vraies raisons d'être). J'ai même passé six autres semaines dans la prison de Ruzyně (on a essayé en vain de m'inculper pour incitation au désordre), mais six semaines positives au cours desquelles je considérais chaque jour de ma détention comme un pas en avant vers ma « réhabilitation ».

La répression de la Charte par la police, dont j'étais également la cible, ne faisait qu'aggraver mon angoisse. J'étais sous surveillance permanente, on m'interrogeait, les autorités me tendaient des pièges, on me maintenait en résidence forcée, je recevais des menaces, des malfaiteurs « inconnus » cambriolaient notre maison ou endommageaient notre voiture. C'était l'époque troublée des raids de la police, des fuites devant nos surveillants dans les forêts, des réunions dans des appartements de conspiration, des perquisitions à domicile, des moments dramatiques où on brûlait ou mangeait des documents secrets. C'était aussi l'époque de nos rencontres avec les dissidents polonais à la frontière entre nos pays (moi qui ne suis pas du tout touriste, j'ai été obligé de monter ainsi cinq fois au sommet de la Sněžka ; j'en ai été récompensé par la fidèle amitié d'Adam Michnik, de Jacek Kuron et des autres membres du KOR). Cette situation devenait de plus en plus grave. Je voyais que cela ne pouvait que mal finir, que j'allais me retrouver en prison. Mais cette fois-ci, je ne le craignais guère. Je savais, approximativement, ce qui m'attendait, je savais qu'il ne dépendait que de moi que mon séjour en prison fût « revalorisé » et je savais aussi que je résisterais. Car la conclusion à laquelle je suis arrivé peut sembler pathétique, mais elle est sincère. C'est qu'il vaut mieux ne pas vivre du tout que de vivre dans l'opprobre. (Comprenez-moi bien, je ne l'exige pas des autres, c'est une constatation qui ne concerne que moi, à laquelle j'ai été amené par mes expériences du passé et qui reste valable pour mes actes futurs où elle pourra m'aider à m'orienter dans les situations-limite.) Si aujourd'hui, de même qu'en 1977, je pressentais que mon activité allait se solder par l'emprisonnement, je saurais maintenant très bien ce qui suivrait : ma résistance sereine et sa conséquence logique : quelques dures années à passer en tôle. Lorsque j'ai été effectivement arrêté au cours d'une offensive de la police contre le comité de la Défense des injustement poursuivis, j'étais serein, équilibré, conscient des conséquences de mon arrestation. Alors que nous ne pouvons pas prévoir notre comportement dans des situations difficiles et dramatiques (j'ignore par exemple quelle serait ma réaction si j'étais torturé), notre vie devient tout de même plus simple si nous savons comment nous allons agir dans des situations plus ou moins connues ou imaginées. Les quatre années passées en prison à partir de mai 1979, représentent cependant une nouvelle étape de ma vie.

En prison, vous avez écrit un livre important, Lettres à Olga, *mais on n'y apprend rien sur les conditions de votre emprisonnement. Comment se sont déroulées ces quatre années de votre vie. Quel travail avez-vous fait ?*

Lorsque j'étais en prison, j'imaginais ce que j'allais écrire à ce sujet quand je serais sorti. J'essayais de garder en mémoire tout ce que je vivais d'intéressant et d'émouvant, tout ce qui était drôle et effrayant à la fois, tout ce qui était étrange et en même temps significatif. J'imaginais comment je décrirais les situations absurdes dans lesquelles je m'étais trouvé. Je me réjouissais à l'idée de ramener de prison un témoignage à la Hrabal, pittoresque et coloré, sur les destins bizarrement compliqués. Je regrettais de n'avoir pu prendre ne fût-ce que des notes rapides sur un bout de papier. Mais quand je suis sorti, j'ai été obligé de constater que je n'écrirais rien sur ce que j'avais vécu en prison. Je n'arrive pas à me l'expliquer ; ce n'est sûrement pas le fait que cela me rappelle trop cette période déchirante de ma vie, me déprime ou rouvre mes vieilles blessures. Il y a probablement des raisons tout à fait différentes à cela. Premièrement, je ne suis pas un auteur de type épique. J'ai du mal à raconter des histoires, je les oublie. Je ne suis pas Bohumil Hrabal! Deuxièmement, la vie en liberté avec ses sujets propres qui s'imposent directement, m'occupe trop pour que je sois capable de revenir en arrière, dans l'univers différent et déjà lointain de la prison. Celui-ci commence à se voiler dans un brouillard qui rappelle un rêve flou. Je ne sens plus le besoin d'en témoigner. En tant qu'expérience personnelle, cette période de ma vie appartient au passé tandis que moi-même, je me sens tellement concerné par le présent que je ne serais plus capable de l'évoquer d'une manière condensée. Troisièmement, l'expérience essentielle de la prison me semble incommunicable. Je ne suis pas en mesure de transmettre ce que j'ai vécu de profondément existentiel et d'intime. Certes, je pourrais le décrire plus ou moins bien, mais je crains que mon récit ne soit superficiel et ne trace — au lieu d'apporter un témoignage fondamental — que les seuls contours des événements, des situations et des personnes. L'essentiel serait plutôt trahi que fidèlement traduit. Rappelez-vous certaines aventures que nous avons vécues à l'armée, on les a racontées pendant des années. Et puis nous nous rendons compte que le service militaire, ces deux années difficiles de notre vie, se résument à quelques souvenirs par lesquels nous amusons nos amis. On les raconte toujours de la même façon et en fait, ils n'ont plus rien en commun avec ce que nous avons réellement vécu. J'ai plusieurs fois essayé de parler de la prison. Même si je respectais soigneusement les détails, je sentais bien que le fond de cette expérience se situait ailleurs, qu'il se cachait justement en dessous de ces détails, pourtant vrais, ou que ces détails déformaient l'essentiel de ce que j'avais vécu. La littérature sur les prisons et sur les camps est aujourd'hui très riche et on y trouve des témoignages particulièrement authentiques et suggestifs (je me souviens, par exemple, de l'extraordinaire description d'un camp de concentration dans *Le nuage et la valse* de Peroutka, de quelques passages de Soljenitsyne ou de Pecka). Moi, je ne me croyais pas capable de le faire aussi bien et je n'avais pas non plus envie d'en parler. Il vaut mieux se taire que de s'exprimer d'une façon superficielle. C'est pourquoi je ne répondrai à votre question qu'en évoquant quelques faits. Dans la prison de Heřmanice, je soudais d'abord des tôles avec une soudeuse par points. Les normes de production étaient si élevées qu'il m'était impossible de les atteindre. D'ailleurs, elles étaient même trop élevées pour des gars vingt ans plus jeunes que moi, beaucoup plus forts et habitués au travail physique. C'est d'ailleurs pourquoi on m'avait attribué ce travail : il représentait une forme d'humiliation supplémentaire ; on était un groupe de prisonniers, parias parmi les parias, on nous punissait, on nous utilisait pour d'autres travaux quand le travail réglementaire était terminé, on nous enlevait une partie de la nourriture (cela ne me dérangeait pas) et de l'argent de poche, on ne cessait de nous accuser — les gardiens et certains prisonniers — de paresse, on essayait de nous ridiculiser. Quelques mois plus tard, on m'a attribué un travail moins dur (mon état de santé contrastait trop avec ce que je devais faire et il y avait le danger que cela se sache), mais je dois ajouter qu'à ce moment-là j'atteignais déjà les normes imposées et que je ne me suis pas laissé briser. Ensuite je découpais, avec Jiří Dienstbier, des brides de grosses tôles au chalumeau, et on réalisait les normes. Lorsque j'ai été transféré à la prison de Bory, je travaillais dans la buanderie, ce qui était une occupation de luxe (mais les rapports entre les prisonniers étaient lamentables, la dénonciation était monnaie courante). Finalement, j'ai travaillé dans une entreprise métallurgique de la prison, où je nettoyais des fils de fer et les câbles de leur emballage plastique. Cela aussi allait, tant qu'on supportait le froid et la saleté. Le travail des prisonniers fait penser à celui des esclaves, il est effectivement considéré comme une punition. Les normes correspondent parfois au double de celles des entreprises normales. Je dois encore ajouter que les prisonniers du « premier groupe rééducatif », où j'ai été moi-même affecté, considèrent le travail comme une forme de repos psychique car il présente moins d'occasions de se faire embêter — ce qui est le moyen principal de la « rééducation ».

Quelle est l'histoire de vos lettres de prison ? Quand et comment est née l'idée de les concevoir sous forme de livre ?

121

J'avoue que c'est un sujet qui m'est beaucoup plus proche et en plus je crois devoir cette explication à mes lecteurs. Eh bien, le directeur du camp de Heřmanice, où nous nous sommes retrouvés après la détention préventive à Ruzyně (tous ensemble, Benda, Dienstbier et moi, à notre grand étonnement), était un demi-fou que craignaient non seulement les prisonniers mais aussi les autres gardiens. Nous représentions pour lui la grande satisfaction de sa fin de carrière de maton. Dans les années cinquante, il était déjà directeur d'un camp de concentration, (alors qu'il n'avait que vingt ans), qui comptait parmi ses deux mille prisonniers, mille cinq cents politiques : évêques, anciens professeurs et ministres. Il s'en était un jour vanté devant moi. Tandis qu'ici, à Heřmanice, alors qu'il avait depuis des années tous les grades et toutes les médailles possibles, il ne pouvait faire preuve de ses talents extraordinaires que sur de pauvres pickpockets, des violeurs de fillettes ou, dans le meilleur des cas, des fonctionnaires déchus parce qu'ils avaient volé des biens d'Etat. Nous étions là pour confirmer, bien que tardivement, son importance. Prisonniers politiques et en plus de la « nomenclature » des dissidents, connus par des émissions de radios étrangères, par leur activité et des articles incendiaires de *Rudé Právo*. Alors, il se défoulait. Il était dangereux, ses réactions étaient imprévisibles. Une phrase qu'il nous avait adressée avec un regret mal caché, dévoile bien son caractère : « Hitler trouvait de meilleures solutions, une canaille pareille, il la gazait ! » (Une fois il m'a crié qu'il aimerait me mettre contre le mur pour me fusiller ; Husák le dérangeait parce qu'en tant qu'ancien taulard lui aussi, il l'empêchait d'exécuter ses vœux secrets. Je dois avouer qu'à ce moment j'ai pensé du bien de Husák.) Je représentais la cible préférée de cet homme qui me considérait comme le maillon le plus faible de nous trois, probablement à cause de ma politesse embarrassée (Dienstbier en parle dans sa postface à mes lettres de prison). Je raconte tout cela parce que notre correspondance était l'objet préféré de son autosatisfaction. Il était évidemment strictement interdit d'écrire quoi que ce soit, excepté des lettres à la famille. Une fois par semaine, nous avions le droit d'écrire quatre pages, lisibles, sans corrections, respectant les formes graphiques et stylistiques données (il était interdit d'utiliser les guillemets, des mots rares ou de souligner). Notre correspondance lui a servi de prétexte pour nous ennuyer, nous punir, nous humilier. Ses interdictions étaient parfaitement arbitraires : on devait se limiter aux sujets relatifs à la famille, on ne devait pas plaisanter car l'incarcération était, selon lui, une chose trop grave pour être ainsi discréditée. (C'est pourquoi mes lettres sont si sérieuses, sans le moindre sens du comique ou de l'ironie ; il fallait respecter ses stupides consignes sinon nos lettres n'étaient jamais expédiées. Nous nous y sommes habitués et ainsi, même dans les lettres écrites plus tard à Bory, vous ne trouverez pas un seul mot souligné.) Malgré cette censure et le risque de nous compliquer la vie, malgré le manque de temps libre, de place et de concentration, nous trouvions tous les trois dans notre correspondance l'occasion de nous réaliser. Lentement, difficilement et malgré certains insuccès, nous avons introduit certaines réflexions ou allusions. Les obstacles ne faisaient qu'augmenter leur besoin. En dernier lieu, c'était devenu une sorte de défi : réussirons-nous à duper le directeur ? Réussirons-nous à exprimer quelque chose de plus profond ? La correspondance s'était transformée en passion. Et pour moi — je ne peux l'affirmer qu'en mon nom — cela donnait un sens à mon emprisonnement. Il fallait réfléchir sur soi-même, sur le sens de son propre comportement, sur les aspects divers de l'existence, et ces lettres me donnaient l'occasion de l'exprimer. Finalement, c'était la seule chose à laquelle je tenais. J'y pensais toute la semaine, en travaillant, en faisant de la gymnastique, avant de m'endormir. Le samedi, sans cesse dérangé ou convoqué quelque part, je transcrivais fiévreusement mes réflexions. Impossible de faire des brouillons, on n'avait pas assez de temps ; plus tard, j'ai quand même appris à les faire très vite. Mais lorsque la lettre était écrite au net, on ne pouvait rien barrer, rien changer et encore moins transcrire. Une fois remise, on attendait, inquiets, si elle allait passer ou non. Il n'était pas question d'en faire une copie et avec le temps, j'ai donc oublié ce que j'avais écrit précédemment. C'est pourquoi mes lettres contiennent tant de répétitions, d'explications, de raccourcis, de conclusions qui semblent mal se justifier. Plus tard, j'ai essayé de prévoir comment écrire, comment concevoir certains cycles thématiques, comment entremêler les motifs de ces cycles. Une construction, à la manière de mes pièces, commençait ainsi à prendre corps. J'expérimentais des notions et des catégories nouvelles, dans des contextes différents, je les abandonnais pour y revenir, en m'efforçant de saisir avec le plus de précision possible mes sentiments et mon expérience. Au fond, il s'agissait de spirales sans fin dans lesquelles j'essayais d'enfermer ma pensée. J'ai vite compris que les lettres écrites clairement ne passeraient pas et qu'il fallait s'exprimer d'une façon tordue ou embrouillée. Je m'y suis habitué, d'où ces longues phrases, ces formulations compliquées. (En parlant du « régime », il aurait fallu dire par exemple « l'apparent foyer social du non-moi » ou une bêtise pareille.) Dès le début, je savais aussi que nos lettres circulaient parmi les amis et que c'était bien. Les contacts avec nos familles étaient devenus une affaire publique et nous nous sommes habitués à voir dans notre correspondance une littérature qui témoignait de notre état d'esprit. De là, il ne restait qu'un pas jusqu'à la conception de la correspondance sous la forme d'un livre. Je dois encore souligner les conditions difficiles de ce travail. Quand il m'arrivait de préparer un brouillon, il fallait bien le cacher car les fouilles étaient fréquentes. Dans la buanderie de Bory, où je travaillais à la calandre, mes brouillons étaient enfouis dans les tas de linge sale, portant des millions de traces d'enfants qui ne sont jamais nés. Je les rédigeais pendant la pause de midi, en me méfiant des rapporteurs qui auraient vite saisi l'occasion de me dénoncer. Evidemment, je supposais bien que de mes lettres, lues ou même publiées en samizdat, on ne garderait que les passages ambitieusement philosophiques et non pas ceux qui, séparés des autres par un astérisque, étaient purement pratiques, dans lesquels je demandais à Olga de faire des choses impossibles, ou de m'envoyer tel ou tel objet précis. Mon ancien ami de *Tvář*, Jan Lopatka, à qui j'ai demandé de préparer la publication de mes lettres de prison, n'a pas pris, fort heureusement, mes conseils en considération et a délicatement conservé leur aspect privé. Cela démontre bien de quoi, en fait, il s'agit ; non pas d'essais écrits dans le calme du bureau de l'écrivain, mais de lettres de prison. La base existentielle de mes réflexions en ressort plus clairement et témoigne d'une certaine vitalité ou d'une certaine dimension dramatique de ces textes. Cela a donné un ouvrage particulier, je me demande toujours de quel genre il s'agit : D'un essai ? D'un document ? D'un document sur quoi ou sur qui ? Sur moi-même ? Sur la prison ? Dans la prison, l'écriture me sauvait, elle donnait un sens à ma vie. Mais que vaut ce livre pour les autres, hors de l'univers carcéral ? Qui a le temps, aujourd'hui, de décrypter encore, au milieu de tous les *digest*, ces phrases compliquées et chercher leur vrai sens ? Il n'y a rien sur la prison et on n'en apprendra rien — et qu'y a-t-il comme philosophie ? Le monde, l'occidental du moins, est rempli de livres, probablement beaucoup plus percutants, écrits par de vrais philosophes qui ne devaient pas écrire vite et dans le bruit, et qui avaient accès à tous les documents dont ils avaient besoin. Que faire, dans ce cas-là, avec ce livre bizarre ? J'avoue que j'admire tous ceux qui l'ont lu jusqu'au bout et qui l'ont compris. Moi-même, j'ai toujours du mal à percevoir exactement ce que je voulais dire. Et quand il m'arrive de rencontrer quelqu'un qui s'est redécouvert dans ma recherche pénible de moi-même et qui l'a lu avec compréhension ou émotion, j'en suis plus touché que le lecteur lui-même et je ne peux que lui exprimer mon admiration et ma reconnaissance. Vous vivez en Allemagne : vous savez bien que des dizaines de milliers de titres envahissent le marché du livre et que les gens préfèrent regarder la télévision que de lire. Comment vous expliquez-vous que plus de quatre mille personnes ont acheté sa traduction allemande ? J'en suis, bien sûr, heureux, même si ce phénomène m'échappe. Ce sont quatre mille pierres sur lesquelles s'appuie ma certitude que le bon Dieu ne m'avait pas envoyé en prison pour rien.

Croyez-vous avoir réalisé les tâches que vous vous étiez assignées après votre condamnation ? Etes-vous sorti de prison plus équilibré ? Avez-vous réussi votre « reconstitution psychique », comme vous en aviez fait le projet dans la lettre n° 14 ?

La condamnation représentait pour moi une certitude : celle que j'aurais à passer plusieurs années en prison. Cette certitude, même si on s'y attend, signifie quand même un tournant important dans la vie. Soudain la hiérarchie des valeurs change, la perspective temporaire aussi, tout reçoit un sens différent. Comme je suis un vieux bureaucrate, je devais établir d'abord un plan, pour m'orienter dans cette nouvelle situation. C'était une sorte d'autothérapie. Je savais que je supporterais la prison d'autant mieux que je réussirais à lui donner un sens positif, que j'y trouverais une sorte de profit, que je la revaloriserais. J'ai déjà parlé de mon activité fiévreuse qui a caractérisé les deux années précédant mon incarcération et qui a aussi caractérisé mon profond désespoir. Il me paraissait donc nécessaire de profiter de la monotonie de la vie de prisonnier alors que, comme je le supposais, je ne serais qu'un rouage dans le mécanisme carcéral, pour retrouver un certain équilibre intérieur et pour voir les choses avec du recul. Non sans quelque nostalgie, je me revoyais jeune homme joyeux et harmonieux des années soixante, qui réussissait à garder la distance ironique vis-à-vis des problèmes qu'il rencontrait, qui ne se laissait ni traumatiser ni déprimer. Il est évident que j'idéalisais mon adolescence et que je me faisais une image naïve des conditions de mon emprisonnement. Car je croyais pouvoir continuer à écrire mes pièces de théâtre, étudier les langues et je ne sais quoi encore. La plus grande naïveté était de croire que je conserverais mon calme et que je ne serais qu'un « rouage anonyme » du mécanisme carcéral. Ce fut le contraire. La prison m'a déprimé du début à la fin, et j'ai été continuellement suivi par des regards beaucoup plus nombreux qu'aux moments les plus noirs de ma vie en liberté. Après quelques jours passés au camp, j'ai compris que mes projets étaient ridicules. Mais je ne les ai pas abandonnés pour autant. Pour les suivre, il fallait entreprendre des chemins beaucoup plus sinueux mais j'essayais de rester fidèle à leur esprit. Les lettres, dont nous venons de parler, m'étaient d'un grand secours. C'était mon unique refuge, elles représentaient le seul domaine où je pouvais aboutir à quelque chose et trouver des réponses aux questions que je me posais. Je ne suis pas en mesure d'affirmer si je suis ou non sorti de prison plus équilibré. Je crois m'être débarrassé de l'agitation fiévreuse, mais à part cela, je me sens moins bien qu'avant. Je suis

126

incapable de me réjouir spontanément, mes angoisses sont plus fréquentes, je travaille avec plus de zèle aux tâches que je m'assigne. Je l'ai déjà évoqué en parlant de mes dernières pièces. Ma femme dit que la prison m'a endurci. Je ne sais pas. Quoi qu'il en soit, il me semble que ce changement négatif a surtout marqué ma vie intime et privée. Pour ce qui est de mon travail, je suis par contre plus équilibré, plus calme, plus tolérant, plus compréhensif peut-être, et j'arrive à garder une plus grande distance par rapport aux choses. C'est du moins ce qui m'apparaît quand je regarde le travail accompli depuis ma libération : les pièces, les essais, les activités civiques. (Même *Largo desolato* est une sorte d'opération chirurgicale, alors qu'aucune autre de mes pièces n'est si personnelle.) Mais c'est aux autres de confirmer mon opinion, je ne suis sûrement pas mon meilleur juge. Si j'ai fait un pas en avant, je l'ai payé cher : de ma capacité à me sentir tout simplement heureux.

Avant le procès, quand vous étiez en détention préventive, on vous a proposé d'émigrer. Vous avez refusé et pourtant, dans vos lettres de prison, vous évoquez souvent des rêves dans lesquels vous voyez Miloš Forman, notre metteur en scène à succès aux Etats-Unis. Est-ce que cela ne trahit pas un rapport inconscient ?

Le contraste entre le succès, sans doute mérité, de mon ami de jeunesse et mon statut misérable de prisonnier a dû influencer mes rêves, mais je ne pense pas qu'il ait été leur principale raison. Il y avait probablement d'autres éléments importants. Mais même cela n'est qu'une supposition. Je ne suis ni Freud, ni Jung pour pouvoir expliquer les rêves. Je crois d'ailleurs que personne ne peut les sonder jusqu'au fond. Je n'ai jamais regretté ma décision d'avoir renoncé aux Etats-Unis (qui ne m'avaient pas été proposés en termes d'émigration) et d'aller plutôt en prison.

Quand on compare vos Lettres à Olga *avec les* Lettres à Olga *qu'a écrites Karel Čapek, on est surpris de constater qu'il n'y a aucune lettre lyrique chez vous. Votre femme ne vous en a-t-elle pas voulu ? Pourriez-*

vous nous dire quelques mots sur elle, sur votre relation et sur ce qu'elle représente pour vous ?

Comme c'est le sort de nombreux mortels, ma vie a été marquée par plusieurs relations affectives et à mon compte céleste il y a plus d'un péché. Cependant, s'il y a une certitude dans ma vie, c'est Olga. Nous nous connaissons depuis trente-trois ans, nous vivons ensemble depuis trente ans et c'est depuis trente ans que nous partageons tous les moments de bonheur et de malheur. Même s'il n'y avait rien d'autre, cela nous attache et nous attachera toujours. Nos caractères ne sont pas les mêmes : moi, je suis un enfant de bourgeois, un intellectuel constamment indécis, elle, une fille de prolétaires, assez naturelle, réaliste et peu sentimentale, parfois forte en gueule et insupportable, bref, une personne qui ne se laisse pas faire. En tant qu'intellectuel indécis, élevé en plus dans les bras affectueux d'une mère dominatrice, j'avais besoin d'une femme énergique, à qui je pouvais poser des questions et dont j'avais un peu peur. Ainsi, désireux de dépendre d'un être féminin et tout en pouvant compter sur lui, j'ai trouvé en Olga exacte-ment la personne qu'il me fallait. Elle apporte des réponses à mes incertitudes, elle corrige avec sa clarté d'esprit mes idées un peu folles, elle est l'appui intime de mes actes publics. Depuis toujours, je lui demande conseil dans tout ce que je fais (les mauvaises langues racontent que je lui demande même d'approuver mes aventures qui la blessent et que je dois connaître son avis sur les problèmes que crée parfois ma vie affective « excentrique ») ; elle est le plus souvent le premier lecteur de mes écrits, et quand elle ne l'est pas, elle est leur principal juge. Sa capacité à exprimer les sentiments que ma politesse chronique m'empêche de manifester, me facilite la vie quotidienne dans laquelle je risquerais de me perdre. J'ima-gine qu'il y aurait de meilleures partenaires féminines pour moi, néanmoins je me vois mal vivre aux côtés de quelqu'un d'autre (ce qui a blessé plus d'un être rare et je m'en remets aussi mal qu'eux). Même si nous ne nous disons plus de mots d'amour depuis des siècles, nous nous savons inséparables. A cela s'ajoute autre chose. La situation d'un prisonnier est celle d'un enfant, ce sont les autres qui décident tout pour lui. La prison vous rend désarmé et impuissant par rapport au monde « extérieur », ce qui ne fait qu'augmenter la dépendance envers votre partenaire absent. C'est la seule personne du monde réel avec laquelle vous pouvez entretenir une relation épistolaire, que vous pouvez voir de temps à autre et qui représente ce monde réel en tant que son point central ou point fixe. Il devient ainsi l'unique espoir, l'unique certitude que la vie a un sens. (Les épouses des prisonniers ne se voient pas toujours dans ce rôle ; elles divorcent souvent ou quittent leur mari sans se rendre compte que les prisonniers vivent les drames familiaux plus difficilement que les hommes en liberté.) En effet, dans mes lettres de prison vous ne trouverez pas beaucoup de passages affectueux ou personnels adressés exclusivement à ma femme. Pourtant, j'ai l'impression qu'Olga en est le protagoniste, bien que latent, et c'est pourquoi son nom figure sur le titre du livre. Est-ce que cela n'apparaît pas quand je cherche un point fixe, une certitude, un horizon ? Mes réflexions abstraites et compliquées l'agaçaient parfois. Elle a le sens du concret et il est compréhensible qu'elle aspirait à y trouver un ton plus « personnel ». Je me souviens que Kamila Bendová a écrit un jour à mon codétenu Václav Benda que dans mes lettres, à la différence des siennes, il n'y avait pas un seul mot d'amour. Václav me l'a signalé et j'ai essayé d'écrire à Olga une lettre d'amour. Cela a donné un petit essai bizarre qui, selon Václav, contenait quand même un sentiment sincère : la rage contre Kamila de m'avoir poussé à écrire une lettre pareille. C'est vrai, nous n'exprimons guère de sentiments, Olga et moi, même si les raisons en sont différentes. Chez elle, c'est la fierté, chez moi, la timidité. Mais maintenant je préfère en finir avec votre question. Je ne voudrais pas que ma femme, après avoir lu ma réponse, soit trop fière d'elle, et je ne veux pas non plus entendre dire par Václav Benda que l'unique sentiment sincère de ma réponse soit ma rage contre vous de m'avoir posé cette question.

Je crois qu'il ne le dira pas. Quant à votre emprisonnement, vous avez été libéré pour des raisons de santé en 1983, avant la fin de votre peine. Est-il vrai que votre vie a été en danger ? Comment cela s'est-il passé ?

En automne 1982, j'ai compris par certains signes qu'on aurait préféré me voir ailleurs qu'en prison. En tant que prisonnier, je représentais probablement plus d'ennuis politiques que si j'avais été en liberté. Il s'est avéré que la condamnation ne m'avait pas brisé, que j'étais résistant et que la punition n'avait pas eu l'effet souhaité. En même temps, on parlait d'autant plus de moi à l'étranger que j'étais emprisonné. Alors que je repassais mes mille draps souillés par jour et préparais mes réflexions heideggeriennes, des universités étrangères m'attribuaient les titres de docteur honoris causa et des hommes politiques évoquaient mon cas au cours de conversations avec nos dirigeants, ce qui ne leur plaisait sûrement pas. En vue du printemps 1983, on préparait à Prague une importante conférence sur la paix, où l'on avait invité des célébrités du monde littéraire (à ce que je sache, aucune d'elles n'est venue) et on voulait éviter que mon nom y soit prononcé. Le premier signe, et là j'en ai conclu qu'on voulait me faire sortir de prison, a été la visite surprise de mes colonels pragois. Ils m'ont proposé d'écrire, ne serait-ce qu'en une phrase, ma demande de grâce, suite à quoi je pourrais rentrer chez moi avant la fin de la semaine. J'ai vite compris. A la fin de la semaine, Gustáv Husák devait se rendre en Autriche et il voulait offrir ma liberté comme cadeau au président autrichien (que je connaissais par ailleurs; il avait été ambassadeur à Prague et c'était lui qui m'avait annoncé que j'avais reçu le prix d'Etat autrichien pour la littérature européenne). Monsieur Husák n'aime pas faire des concessions et quand il y est obligé, il veut que ses adversaires se mouillent aussi; c'est pourquoi il ne m'a pas accordé la grâce de lui-même, mais il voulait qu'en formulant ma demande, je me mette à genoux devant lui. Cela me répugnait, mais je ne savais pas très bien quoi faire. Si c'était le résultat des interventions des hommes d'Etat étrangers, on me considérerait comme un être têtu qui refuse d'écrire même une phrase pour être libéré; la fois suivante, peut-être n'interviendraient-ils plus pour personne. J'ai dit que je le ferais à une condition : qu'on m'autorise à en discuter avec trois codétenus. On m'a accordé sept minutes d'entretien (pourquoi précisément sept minutes, je n'en sais rien), en présence d'un gardien, évidemment. Nous avons conclu que je ne devais pas demander grâce. J'ai donc refusé et le président autrichien a reçu, à la place de ma liberté, un vase en cristal de Bohême.

Cependant, ce ne fut pas le seul signe annonciateur de ma libération. Les raisons de santé y ont aussi contribué, malheureusement d'une manière assez grave, à laquelle personne ne s'attendait. A la fin de janvier 1983, un dimanche après-midi, j'ai soudain eu de la fièvre, j'avais mal partout, je tremblais, j'étais incapable de parler et de marcher, je ne savais pas ce qui se passait. Mes frissons, dans le courant de la nuit, faisaient vibrer le lit superposé sur lequel je dormais au point que mes codétenus n'arrivaient pas à fermer l'œil. J'avais des battements de cœur et je me demandais si je n'allais pas mourir. Le matin j'ai demandé l'autorisation d'une visite médicale mais comme ma fièvre avait baissé, je craignais d'être puni pour « visite sans motif grave », ce qui était la pratique courante à la prison de Bory. Cela s'est passé, si l'on peut dire, bien. J'avais quarante de fièvre. On m'a transféré à l'infirmerie, où je suis resté quelques jours, mais mon état ne s'améliorait pas (pendant une semaine je n'ai rien mangé, je devais avoir l'air lamentable). On m'a prescrit de l'acylpirine, puis on ne s'est plus occupé de moi, en supposant que c'était une angine. Grâce à l'intervention d'un infirmier que je connaissais un peu, on m'a quand même fait une radio des poumons, puis j'ai reçu des antibiotiques, mais on ne m'a pas dit ce que j'avais. Je croyais que c'était une pneumonie, ce n'aurait pas été ma première en prison. Probablement avec des complications, en ai-je conclu d'après l'attention particulière que l'on me prêtait. Un jour (ma température ne baissait toujours pas), on m'a mis les menottes et on m'a emmené en pyjama dans une ambulance. Au cours du transport, j'ai beaucoup souffert, j'étais secoué, j'avais mal à la poitrine et comme j'avais les mains liées, je ne pouvais pas me tenir ; j'arrivais à peine à respirer. Mais par une sorte de fierté de prisonnier, je n'ai pas demandé qu'on m'enlève les menottes. Nous sommes arrivés à la prison de Pankrác où je fus hospitalisé. Comme d'habitude, j'ai été en isolation, c'est-à-dire seul dans la cellule, et c'était tant mieux Puis, on a fait des analyses et on a commencé à me soigner. J'avais une pleurésie avec des complications secondaires, on a même parlé d'une bulle. Ensuite la température a baissé un peu et j'ai recommencé à manger. Tout ce que j'ai vécu, je l'ai décrit dans une lettre à Olga, y compris ce dont, pendant deux jours, je n'étais pas sûr : si j'allais mourir ou pas. Sachant que la censure à Pankrác était moins sévère, j'ai pris le risque et j'ai envoyé cette lettre. Olga l'a reçue, elle est venue tout de suite avec Zdeněk Urbánek à Pankrác et a demandé de me voir. On le lui a bien sûr interdit. Elle voulait déposer des fruits pour moi. On le lui a aussi interdit. Elle a demandé de mes nouvelles. On lui a répondu que je me portais bien. Cela l'a mise en colère, elle est rentrée à la maison et a appelé Pavel Kohout à Vienne. Pavel a été merveilleux ; dans des situations difficiles, il a toujours agi avec précision et efficacité. Ce jour-là également. Il a téléphoné à toutes ses connaissances influentes, y compris dans les chancelleries. Les personnalités étrangères intervenaient, on luttait pour sauver ma vie qui, entre-temps devait déjà être sauvée (à supposer qu'elle ait été menacée). Chez nous, on a dû conclure que ma libération s'imposait pour raison de santé. Ainsi, un soir que je n'oublierai jamais, alors que je m'apprêtais à dormir, plusieurs gardiens, un médecin et une femme fonctionnaire sont entrés dans ma cellule pour m'annoncer que la cour régionale de Prague 4 avait décidé d'interrompre ma privation de liberté. J'étais ébahi, j'ai juste demandé si je pouvais passer encore la nuit en prison. On m'a répondu que c'était exclu parce que j'étais une personne civile. J'ai alors demandé ce que je devais faire maintenant, puisque je n'avais que mon pyjama. On m'a annoncé qu'une ambulance m'attendait et qu'elle allait m'emmener dans un hôpital. Le docteur, en s'adressant à moi, disait « monsieur Havel » et non plus « Havel », ce qui m'a choqué : je n'avais pas entendu cette expression depuis des années. Je suis monté dans l'ambulance et pendant tout le trajet je ne comprenais pas pourquoi je n'avais pas de menottes, pourquoi je n'étais pas accompagné par un gardien et son chien, pourquoi la portière n'était pas fermée à clé. Je pourrais me sauver ! — c'était mon idée fixe. On m'a transporté à l'hôpital de Petřín, où j'ai été affecté au servive des soins intensifs. J'ai téléphoné immédiatement à la maison ; Olga, Ivan et sa femme sont venus et m'ont apporté mes affaires. La nouvelle de ma libération a été lue le soir même dans l'émission de *la Voix de l'Amérique*. La veille, ils avaient lu une déclaration de la Charte par laquelle on demandait ma libération. Celui qui avait laissé sortir ma lettre de Pankrác a dû avoir quelques ennuis : grâce à sa négligence, on a déclenché une campagne pour ma libération. Ce qui allait être présenté comme un geste hautement humanitaire est soudain apparu comme une lâche capitulation et un symbole de la peur devant la maladie ou de ma mort éventuelle. Ce mois passé à l'hôpital de Petřín devait être le plus beau mois de ma vie ! Déjà déchargé du poids de la prison et pas encore chargé du poids de la liberté, je vivais comme un roi. Je recevais des visites du matin au soir (un jour, par exemple, quinze personnes à la fois s'étaient réunies auprès de mon lit), on m'apportait des cadeaux et surtout toutes les publications samizdat. Olga me laissait chaque jour une nouvelle bouteille de gin avec laquelle je fabriquais des cocktails à partir de compotes dont on me comblait dans l'intérêt de ma santé, et que je buvais ensuite, la nuit, avec les infirmières. (Imaginez-vous qu'après avoir passé quatre années sans voir pratiquement une seule femme, on vous laisse aux soins d'une douzaine de jeunes filles qui venaient de terminer l'école d'infirmières !) Quand je ne trinquais pas avec elles, je passais mes nuits à lire *La clé des songes* de Ludvík Vaculík, l'œuvre fondamentale de cette époque, d'après ce qu'on m'en avait dit. Des bouquets de fleurs m'arrivaient de l'étranger ; à l'hôpital, je jouissais de divers privilèges, je pouvais par exemple recevoir des visites quand je voulais. Selon un accord tacite entre la police et la direction de l'hôpital, on devait me laisser toute ma liberté à condition que je ne reçoive pas de journalistes étrangers ni ne téléphone à l'étranger. Le monde — aussi bien mes amis les plus proches que les médecins, infirmières et autres malades — tournait vers moi son plus beau visage. Je n'avais que des droits, pas de devoirs. Je n'étais plus en prison et je ne ressentais pas encore l'angoisse de l'ancien prisonnier qui se trouve du jour au lendemain sur le territoire étrange de la liberté. Même mes colonels, qui m'avaient rendu visite à l'hôpital, étaient doux comme le miel et me faisaient comprendre que je ne devais pas trop divulguer les circonstances de ma maladie et des soins médicaux que j'avais reçus en prison. Je ne pouvais que sourire. C'était la dernière chose qui m'intéressait. Mais ce beau rêve allait aussi se finir. Le jour est venu où il fallut faire le premier pas dans la réalité. Je l'ai fait au début du mois de mars, il y a donc un peu plus de trois ans, et je glisse toujours sur cette terre incertaine. Une nouvelle étape de ma vie a commencé, mais j'aimerais en parler une autre fois, quand un recul plus grand me permettra de mieux voir ce que je dois en penser.

Dans votre essai La politique et la conscience *qui date de 1984, vous vous référez au philosophe tchèque Václav Bělohradský, qui enseigne à l'Université de Gênes. Qu'est-ce qui vous attire dans l'œuvre de cet élève de Patočka? Quel est le rapport entre votre notion du « mouvement spontané » et son « eschatologie de la non-personnalité »?*

A mon retour de prison, je suis tombé par hasard sur le livre de Bělohradský, *La crise de l'eschatologie de la non-personnalité,* qui m'a beaucoup plu. Ce que je ressentais, Bělohradský l'avait exprimé avec un rare bonheur et une grande clarté. J'ai été impressionné par son don de percevoir les relations entre les choses et j'ai apprécié le langage de son livre, riche en ellipses, en métaphores et en associations inhabituelles. Ce langage est parfois plus poétique que philosophique dans le sens traditionnel du mot, c'est pourquoi il ne faut pas le prendre à la lettre. Après avoir lu cet essai, j'ai cherché d'autres textes de Bělohradský, éparpillés dans des revues tchèques publiées à l'étranger. Je les ai rassemblés, j'ai ajouté d'autres articles qui se rapportaient au même sujet et je les ai publiés dans la collection *Expedice* sous le titre *Le monde politique en tant que problème naturel.* Bělohradský et moi avons échangé quelques lettres, puis il m'a envoyé la postface pour son livre.

Mon essai, que vous mentionnez, est effectivement influencé par ma lecture de Bělohradský. Le pouvoir est pour moi un mouvement spontané, aveugle, inconscient, irresponsable, incontrôlé et incontrôlable, qui manipule plus les gens qu'il n'obéit à leurs impulsions. Il s'agit, en effet, d'un mouvement impersonnel, dont parle Bělohradský. Bělohradský découvre les mêmes symptômes du crépuscule ou de la crise eschatologique du pouvoir que moi. Je dois cependant ajouter que

Bělohradský est un philosophe qui s'appuie sur une matière importante, tandis que moi, je ne suis qu'un essayiste ou un écrivain qui s'intéresse à la philosophie. Il me paraît donc inopportun de nous comparer.

Dans un entretien publié dans la collection Expedice *sous le titre* Penser la verdure du monde, *Václav Bělohradský dit :* « *Je suis de ceux qui sont vaincus. Parce que je suis Tchèque, parce que je suis exilé, parce que je suis Européen, parce que je suis un intellectuel, parce que je suis un philosophe, parce que je suis citoyen italien... Le rôle de l'intellectuel vaincu à l'époque tardive est pour moi le suivant : ne pas se laisser repousser dans l'Histoire écrite par les vainqueurs.* » *Est-ce que vous partagez cette vision de l'intellectuel ?*

Si Bělohradský conçoit le rôle de l'intellectuel comme une forme de refus de se laisser repousser dans l'Histoire écrite par les vainqueurs, je suis parfaitement d'accord avec lui. Il me semble qu'il dit, avec d'autres mots, la même chose qu'André Glucksmann, qui est venu récemment à Prague et avec qui j'ai eu un long entretien nocturne. Selon Glucksmann, l'intellectuel doit prévenir, prévoir les horreurs, s'identifier à Cassandre en racontant les événements qui se déroulent derrière les murs. Je suis d'accord avec ce que disent Glucksmann et Bělohradský. Je crois aussi que l'intellectuel doit inquiéter ; qu'il doit témoigner de la misère du monde ; qu'il doit provoquer par son indépendance, se révolter contre toutes les formes d'oppression — qu'elles soient apparentes ou latentes —, contre toutes les formes de manipulation ; qu'il doit mettre en doute les systèmes, les pouvoirs avec leurs discours et témoigner de leurs mensonges. C'est pourquoi l'intellectuel ne correspond à aucun rôle auquel on voudrait le réduire. C'est pourquoi il ne doit correspondre à aucune Histoire écrite par les vainqueurs. L'intellectuel ne doit pas « convenir », il doit toujours déranger, transgresser, il doit rester inclassable. Il me semble que c'est d'ailleurs un problème caractéristique à Bělohradský ; dans les milieux des exilés tchèques, on ne cesse de se demander quelle place il y occupe. Les vainqueurs ont créé des catégories rigides, mais pour les intellectuels elles sont inacceptables. Jusque-là, je suis d'accord avec sa définition. Ce qui me semble plus compliqué, c'est sa notion de « vaincu ». Certes, un intellectuel est vaincu d'avance, car il ressemble à Sisyphe, et il est, comme lui, condamné à perdre. Mais en même temps, comme Sisyphe, l'intellectuel reste invaincu. Dans un certain sens, il gagne en perdant. Sa situation est donc contradictoire et ne pas accepter cette contradiction signifierait entrer dans l'histoire écrite par les vainqueurs. D'autre part, est-ce que ce ne sont pas justement les vainqueurs qui nous ont adjugé le rôle des vaincus, à Bělohradský en partie et à moi tout à fait ? Confirmer leur victoire signifierait confirmer aussi leur histoire. Dans un certain sens, je suis effectivement un vaincu, mais dans un autre, je ne me sens pas comme tel. Il m'arrive de me sentir si peu vaincu et si peu appartenant à l'Histoire des vainqueurs que, paradoxalement, cela me fait peur.

Les Tchèques ou les Polonais sont parfois accusés de provincialisme et pourtant, je me demande si votre idée fondamentale, celle de l'identité humaine menacée, n'est pas aussi valable pour l'Allemagne, la Suède ou l'Angleterre. Est-ce que ce n'est pas un problème d'ordre général ? Ici, en Occident, les mass media ne semblent pas se poser cette question...

Je ne me considère pas comme une personnalité d'une importance telle que tout le monde se préoccupe de mes idées. Le fait qu'en Occident la crise de l'humanité contemporaine ne soit pas prise en considération, m'est connu et c'est pourquoi j'essaie d'en parler lorsque la situation se présente. Prenons un exemple qui illustre la myopie occidentale. Depuis des années, les pays occidentaux savent que Kadhafi est un terroriste et pourtant on achète le pétrole libyen, on contribue à son extraction. D'une certaine manière, l'Occident nourrit ce terrorisme. On n'a jamais décidé d'un embargo. Autrement dit, on met en péril, pour quelques barils de pétrole, la sécurité et on prend le risque d'anéantir les principales valeurs humaines. Les intérêts particuliers dominent les intérêts de toute la société. Tout le monde se dit que l'obus ne va pas tomber sur sa maison. Et quand la situation devient intenable, on ne sait faire qu'une chose : bombarder la Libye. C'est une réaction primitive.

En Occident, l'interprétation du droit d'asile connaît une certaine évolution. On l'accorde à ceux qui fuient les tyrannies mais de moins en moins à ceux qui fuient les régimes totalitaires. Le collectivisme ou l'athéisme forcés ne sont plus des raisons suffisantes pour accorder à un réfugié le droit d'asile. Comment pourriez-vous expliquer aux gouvernements occidentaux qu'un Etat totalitaire représente pour l'individu le même danger qu'une tyrannie ?

Les gouvernements occidentaux ne me demandent pas mon avis sur le droit d'asile, cependant, je profite de toutes les occasions pour exprimer mon opinion sur ce sujet. Je rencontre assez souvent des opinions qui s'accordent avec les miennes, beaucoup moins souvent de la compréhension. Et je dois dire que cela ne m'étonne guère. Certaines expériences ne peuvent être ni partagées, ni expliquées. On peut les comprendre quand on les a vécues. Je suis d'ailleurs d'avis que les gouvernements occidentaux ne devraient pas être trop critiqués pour leur approche du droit d'asile. Les régimes totalitaires ou autoritaires existent dans la plupart des pays du monde et leurs habitants, qui n'aiment pas le régime, auraient du mal à trouver une place dans les quelques pays démocratiques qui existent. Ceux-ci sont donc obligés de choisir, et il est logique que leur préférence aille davantage vers ceux qui sont en danger de mort que vers ceux qui sont offensés — comme vous dites — par l'éducation athée ou collectiviste de leurs enfants. Et je crois même qu'on peut aller encore plus loin. Selon moi, il serait utile de faire comprendre aux gens qui ne veulent pas vivre dans un système totalitaire, qu'on peut agir contre lui plutôt que de le fuir. Si je m'adresse aux citoyens des pays occidentaux pour leur demander de ne pas penser seulement à leurs propres intérêts et de se comporter d'une façon exemplaire — comme ils voudraient voir se comporter tout le monde ou comme s'ils se sentaient également responsables du destin des autres —, je ne vois pas pourquoi je ne demanderais pas la même chose aux citoyens des pays totalitaires. Mes propos peuvent paraître durs (bien que telle ne soit pas mon intention), mais votre question me fait penser à tous les médiocres, tous les attentistes, tous les minables qui ont soutenu par leur comportement le régime totalitaire mais qui, lorsque l'occasion s'est présentée, ont préféré rester dans un pays dont le niveau de vie est plus élevé et ont exigé pour eux le statut et les privilèges de réfugiés politiques. Pourquoi considèrent-ils tous là-bas, que les droits sont leur dû, alors qu'ici, ils soutenaient un régime qui n'accorde aucun droit ? Je ne pourrais jamais demander à personne de verser du sang pour nous. Mais j'ose rappeler qu'il serait plus sensé de critiquer l'éducation athée d'ici que de suivre Dieu en Occident...

Vous intéressez-vous à la littérature tchèque en exil ? Qu'en pensez-vous ? Que considérez-vous comme positif et quel est selon vous son aspect négatif ?

Même si mon rapport à la littérature en exil est nettement meilleur que pour la plupart de mes concitoyens, j'avoue que je ne la connais pas bien et que je ne peux pas suivre systématiquement sa production. Deux romans m'ont tout de même marqué au cours de ces dernières années : *Le nuage et la valse* de Ferdinand Peroutka, selon moi un des meilleurs romans tchèques depuis quelques décennies et *L'ingénieur des âmes humaines* de Josef Škvorecký que j'ai aussi beaucoup apprécié.

Je voudrais revenir à la seconde moitié de ma question. Y a-t-il quelque chose que vous n'aimez pas ou qui vous irrite dans la littérature tchèque en exil ?

Mais oui. Surtout dans les périodiques tchèques publiés en exil. On peut y lire de belles bêtises clamées par les grands combattants du communisme. Par exemple que nous, ici, sommes tous à gauche (la bande écologico-bolchevique) et que nous sommes au fond tous des agents de Moscou. Je ne sais pas si je me situe à gauche ou à droite mais je dois vous dire qu'en entendant de tels mots d'esprit typiques de la droite, je m'incline irrésistiblement vers la gauche.

Certains critiques à Prague jugent très sévèrement Milan Kundera. Il s'agit peut-être d'une réaction au succès universel de son œuvre. Son dernier livre, L'insoutenable légèreté de l'être, *a été vendu par exemple en Italie à 200 000 exemplaires, ce qui en a fait le livre étranger le plus vendu depuis la guerre ; il a connu le même succès aux USA et évidemment en France. Est-ce que cela ne pose pas la question de la différence entre les goûts littéraires en Tchécoslovaquie et ailleurs en Europe ?*

Je ne vois pas pourquoi la différence d'opinions sur un livre ou sur un auteur devrait signifier la différence de goûts littéraires entre nous et le reste de l'Europe. Et je ne vois pas non plus pourquoi cela devrait être interprété en défaveur de celui qui critique un écrivain. Quoi qu'il en soit, il vaut mieux avoir une opinion à soi, même si elle est différente de celle des autres, que de ne pas paraître différent au prix de renoncer à sa propre opinion. Moi, personnellement, j'aime bien ce livre, indépendamment du nombre d'exemplaires publiés. D'ailleurs, n'est-ce pas la peur d'avoir des opinions différentes du reste du monde qui trahit notre provincialisme ? Et comme je connais les amours littéraires de Kundera, il me semble que lui — à la différence de ses apologistes de l'exil — ne souffre pas de ce type de provincialisme.

Quelle est votre opinion sur les valeurs universelles dans la littérature ?

Je n'en ai pas. Il s'agit, à la limite, d'un faux problème typiquement tchèque.

J'avoue que les termes « œuvre de valeur universelle » sont insidieux et compliqués, mais si je ne me trompe, cette notion a été introduite dans la littérature par J. W. Goethe qui parle de « Weltliteratur ». Il désignait par là un fonds littéraire d'œuvres classiques auxquelles l'humanité ne cesserait de revenir pour se comprendre elle-même et pour comprendre son histoire. Milan Kundera est, dans certains pays, considéré comme un classique. Permettez-moi de citer, dans ce contexte, un passage de votre article « Notes sur la semi-culture » publié dans Tvář. *Vous dites : « Des valeurs effectivement universelles s'imposaient chez nous, non pas en s'appuyant sur une culture générale — comme dans la plupart des pays — mais en opposition avec elle. » Vous le démontrez à partir d'exemples tirés de Mácha, Hašek, Kafka et Janáček. J'ajouterais encore aujourd'hui Milan Kundera...*

Pourquoi pas, si vous le voyez ainsi. Je ne considère pas Kundera comme un *outsider* de la culture tchèque. Il a été, pendant de longues années, le chouchou des lecteurs et il reste toujours très apprécié ; tout jeune, il avait déjà reçu le prix d'Etat le plus important de la littérature. Si ses livres pouvaient être publiés chez nous aujourd'hui, leurs tirages seraient sans doute aussi importants que dans les pays occidentaux. Quant à l'article que vous citez, j'ajouterai qu'aujourd'hui, vingt-trois ans après l'avoir écrit, je me méfie des mots comme « valeurs universelles ». Ces mots ont perdu leur sens, de même que le mot « socialisme ».

Dans le recueil de vos travaux des années 1969-1979 intitulé Pour une identité humaine, *figure une partie de votre polémique avec Kundera de 1968-1969. Cependant, on n'a pas repris la réponse que celui-ci a publiée dans la revue* Host do domu *où, sous le titre « Le radicalisme et l'exhibitionnisme », il polémique avec votre point de vue. Kundera a toujours défendu les victoires et les compromis réussis et ironisait à l'adresse des personnes qui croient que « la défaite d'une cause juste jettera la lumière sur la médiocrité du monde et la splendeur de leur propre caractère ». En ne reprenant pas ce texte de Kundera dans votre livre, cela ne signifie-t-il pas que vous voulez éviter cette question ?*

Premièrement, les textes du livre dont vous parlez ont été rassemblés par Vilém Prečan et Alexander Tomský au moment où j'étais en prison. Je ne suis donc pas responsable du choix qu'ils ont fait. Deuxièmement, les critères de leur sélection obéissent à une logique éditoriale. Ils ont choisi, en dehors de mes textes, ceux auxquels je réagissais dans mes propres articles et non pas ceux qui réagissaient à mes articles. Troisièmement, je suis loin de vouloir éviter la question dont vous parlez. Je connais bien le scepticisme de Kundera à l'égard des actes civiques qui n'ont pas de résultat immédiat mais qui par contre servent à la gloire de leurs auteurs. Je dois dire que je ne partage pas ce point de vue. Dans *L'insoutenable légèreté de l'être* le fils de Thomas demande à son père de signer une pétition en faveur des prisonniers politiques. Celui-ci refuse. Il se justifie en disant que de toute façon il ne pourra pas aider les prisonniers et que l'essentiel, pour les personnes qui décident de signer, est d'attirer l'attention sur elles-mêmes et de se rassurer sur le fait qu'elles sont toujours capables d'agir sur le cours des événements. Elles signent d'ailleurs d'autant plus facilement qu'elles ont déjà tout perdu et ne risquent plus rien. Au lieu d'aider les familles des prisonniers politiques, elles érigent leur propre monument et ne se posent pas la question de l'effet que cela va avoir sur la situation des condamnés.

Du point de vue romanesque, peu importe si cet épisode a été inspiré par la réalité ou non, si la pétition a eu un certain effet ou au contraire n'a rien donné. Je ne parle pas du roman mais de la réalité. Même si Kundera s'inspire de l'importante pétition des écrivains du début de la « normalisation », tout laisse croire que Thomas est l'interprète de son opinion à lui (vous le confirmez d'ailleurs par votre citation). Je m'en souviens bien, j'étais de ceux qui recueillaient les signatures. Il s'agissait, à l'époque, d'une supplique timide et modeste, qui ne mettait nullement en question les condamnations mais qui faisait appel à la générosité du Président de la République, en lui demandant d'accorder, à l'occasion des fêtes de Noël, l'amnistie aux prisonniers politiques. (Aujourd'hui, d'ailleurs, aucun membre de la Charte ne signerait une pétition d'un ton aussi conciliant.) A ce moment-là, les écrivains n'étaient pas encore divisés entre ceux qui pouvaient publier et ceux qui ne le pouvaient pas ; on ne savait donc pas qui allait signer. Certains parmi les écrivains considérés aujourd'hui comme officiels ont donné leur signature. Cette pétition représentait quelque chose de nouveau car il s'agissait de la première expression de solidarité depuis que Husák était devenu le secrétaire général du parti. Elle a provoqué une réaction violente du pouvoir, et plusieurs signataires se sont alors rétractés. Ils utilisèrent les mêmes arguments que Thomas dans le roman de Kundera : cela ne va aider personne, le gouvernement sera encore plus brutal, c'est de l'exhibitionnisme de la part de ceux qui, de toute façon, sont interdits de publication et veulent ainsi attirer les autres dans le précipice en abusant de leur générosité. Le président, bien entendu, n'a accordé aucune amnistie, et Šabata, Hübl et d'autres ont continué à purger leurs peines. On n'a fait que démontrer la splendeur de nos caractères. Il semblait donc que l'histoire donnerait raison aux critiques de la pétition. Fut-ce le cas ? Je ne le crois pas. Après leur libération, tous les prisonniers ont confirmé que cette pétition leur avait apporté une grande satisfaction et qu'elle avait en plus donné un autre sens à leur emprisonnement car elle avait créé une solidarité parmi les signataires. Ils comprenaient mieux que nous qu'elle dépassait, par ses conséquences, la question de leur libération. Tout en sachant qu'ils ne seraient pas libérés, ils voyaient qu'on s'intéressait à eux, qu'on sympathisait et que, malgré la résignation générale, on leur exprimait notre soutien. Rien que cela suffit pour justifier la pétition (je sais par mes propres expériences que les nouvelles qui vous parviennent en prison sur les expressions de solidarité peuvent vous aider à survivre). En même temps, elle avait un sens plus profond. Elle a marqué le début du redressement de la société qui aboutira à la Charte 77 et à son travail quotidien, et à des centaines d'autres pétitions. Si le gouvernement n'a réagi à aucune d'elles directement, il a dû néanmoins tenir compte de la nouvelle situation créée. Ses effets indirects et modestes se sont manifestés à long terme. Remarquez par exemple ceci : les prisonniers du début des années soixante-dix étaient condamnés à de lourdes peines pratiquement pour rien, et personne, ni chez nous, ni à l'étranger, ne protestait. C'est d'ailleurs pourquoi de telles peines ont pu être prononcées. Aujourd'hui, grâce au travail don-quichottesque et patient de signataires courageux des pétitions qui se succédèrent pendant quinze ans sans se soucier d'être accusés ou non d' « exhibitionnisme » et sans vouloir « jeter la lumière sur la médiocrité du monde ni sur la splendeur de leur caractère », aujourd'hui donc, il suffit que l'une ou l'autre personne soit arrêtée pour des raisons politiques et pratiquement tous les grands journaux du monde en parlent dans les quarante-huit heures qui suivent. On a réussi à attirer l'attention de l'étranger sur notre situation et le gouvernement doit compter là-dessus. Il ne peut plus se permettre ce qu'il se permettait autrefois, il ne peut plus compter sur le silence, il doit calculer avec l'effet du discrédit. Le résultat est que nous pouvons agir. Des centaines de personnes font aujourd'hui ce qui aurait été inconcevable au début des années soixante-dix. La situation est différente, non pas parce que le gouvernement serait devenu plus tolérant mais parce qu'il a dû s'adapter et se soumettre à la pression d'en bas. Cette pression, c'étaient des actes civiques, apparemment suicidaires ou « exhibitionnistes ». Ceux qui observent la société d' « en haut » sont impatients car ils cherchent des effets immédiats. Si l'effet attendu ne se produit pas, les actes paraissent gratuits. Ils ne comprennent pas que ces actes ne fructifient parfois qu'après de longues années, qu'ils sont inspirés par des motifs éthiques et qu'ils risquent même de rester sans effet. (Dans l'article dont il est question, Milan Kundera me reprochait d'avoir parlé trop souvent du risque ; il est allé jusqu'à calculer la fréquence de ce mot dans mon texte. Oui, je l'ai souvent utilisé, c'était un défaut stylistique regrettable, mais par contre, je ne regrette nullement d'avoir relevé le problème du risque en tant qu'incertitude du succès de nos actions). Hélas, nous vivons dans une situation où le mouvement en avant n'est souvent que le résultat d'actes exhibitionnistes de désespérés, du moins ils leur ressemblent, comme dans le livre de Kundera. Je ne veux pas être injuste envers lui mais je trouve que sa conception de l'Europe kidnappée par l'Asie, de l'Europe cimetière de l'esprit, où règne l'oubli et où l'histoire n'est qu'une source de mauvaises plaisanteries, s'appuie sur l'image de la Tchécoslovaquie du début des années soixante-dix. Comme si toutes ces pétitions n'étaient que des gestes gratuits, comme si elles n'étaient que des actes d'autant plus désespérés que leurs auteurs, en fait des ratés, ne font qu'attirer l'attention sur eux-mêmes, incapables d'actes plus sensés. Il va de soi que chaque pétition peut contenir une part de ce qui fait rire Kundera et je ne peux pas lui en vouloir, notamment parce qu'il en parle dans un roman. Je lui reproche autre chose. Il ne voit pas et ne veut pas voir ce qui, dans cette activité, est moins apparent mais qui nous remplit d'espoir : son effet à long terme. Comme s'il était prisonnier de son propre scepticisme, comme s'il ne voulait pas admettre qu'il faut parfois agir courageusement en citoyen et que cela en vaut la peine même si on a l'air ridicule. Je comprends très bien son horreur du ridicule et du pathétique,

Ces questions, personnellement, ne me préoccupent pas. Etre Tchèque est pour moi une évidence, de même qu'être un homme, avoir des cheveux blonds ou vivre au xxe siècle. Si j'avais vécu au xixe siècle, je me serais peut-être posé la question de mon identité nationale et je me serais peut-être demandé si cela en « vaut la peine ». Mais je vis aujourd'hui et la question de savoir s'il faut développer ou dissoudre notre nation a été décidée par d'autres ; je n'ai pas à en faire mon souci. Ma principale préoccupation est celle de tous les gens : que faire de ma vie, quelle solution trouver à mes problèmes existentiels, éthiques, à mes problèmes de citoyen. S'ils se posent à moi, Tchèque qui vit ici, et non à moi, Argentin en Argentine, c'est que — comme dit le brave soldat Švejk — le bon Dieu a voulu que je souffre et que je fasse souffrir les autres ici et non pas en Argentine. Je ne ressens donc pas notre problème national comme quelque chose d'essentiel, et notre destin dépendra de nous dans la mesure où nous remplirons nos tâches simplement humaines.

Ici je voudrais revenir à ma polémique avec Milan Kundera que vous avez évoquée, car elle concernait précisément notre identité nationale et notre destin. Ce qui me dérangeait dans cet article, c'est que Kundera — et d'autres avec lui — aient expliqué par notre destin national l'occupation du pays par l'armée soviétique et le comportement adopté par notre population. Comme si les Soviétiques n'étaient pas venus pour rétablir leur ordre dans une colonie désobéissante mais pour accomplir la tragédie des Tchèques, et comme si nos représentants avaient été amenés à signer les accords de Moscou pour cette même raison. Les conséquences de ces événements — le destin tragique tchèque — étaient présentées comme leur cause. Je n'ai rien contre les parallèles historiques, ni contre les réflexions sur le sens de notre passé mais j'ai du mal à admettre qu'on s'en serve pour détourner l'attention des problèmes simplement humains, éthiques ou politiques qui donnent précisément un sens à notre histoire nationale. Je comprends et je respecte la déception de nos anciens communistes face à l'échec du réformisme. Mais je ne suis pas d'accord avec eux quand, après s'être cassé les dents contre la dure réalité, ils l'expliquent par l'éternel destin national. Ils s'en lavent les mains et c'est l'Histoire qu'ils rendent responsable. Cet « alibisme » historique apparaît également dans les textes de Kundera. On croit « avoir tenu le volant de l'histoire », puis on se rend compte que l'histoire tourne dans une autre direction et on en conclut, un peu vite, qu'au volant de l'histoire il n'y avait personne. D'où sa conception de l'Histoire envoûtée : comme si elle existait dans un monde à part, dans un univers de la fatalité, comme si son cours était indépendant de nous, imprévisible, comme si elle était entre les mains des démons qui ne font que nous détruire, nous tromper, nous abuser ou qui — dans le meilleur des cas — se moquent de nous. Pour moi, c'est une extrapolation exagérée de sa propre déception. L'histoire n'est pas « ailleurs » ! Elle est ici même, nous la faisons tous, Kundera par ses romans, vous par vos entretiens, les activistes de la Charte par leurs pétitions. Nos actes de tous les jours, qu'ils soient bons ou mauvais, en font partie intégrante. La vie n'est pas en dehors de l'histoire et l'histoire ne se situe pas en dehors de la vie.

Mais revenons à la « question tchèque ». Je ne veux pas dire qu'elle n'existe pas. Je suggère seulement qu'on cesse de s'en servir comme d'une patère où l'on accroche ce qui nous pèse sur le dos, ou comme d'un démon que l'on rend responsable de nos malheurs. « La question tchèque » joue trop souvent ce rôle et je m'en méfie quand on m'oblige à en parler.

Est-ce que les années quatre-vingt vous donnent de l'espoir ?

Tout d'abord je voudrais dire que si le problème de l'espoir me préoccupe (notamment dans des situations désespérées, comme celle de la prison, par exemple), c'est qu'il est pour moi plus révélateur d'un état d'esprit que d'un état du monde. L'espoir, nous l'avons ou nous ne l'avons pas. C'est une des dimensions de notre âme qui ne dépend, au fond, que très peu de notre observation de la réalité ou de l'estimation de la situation politique. Il ne faut pas identifier l'espoir aux prévisions ; il est une orientation de l'esprit, du cœur, il va au-delà du vécu immédiat et il s'attache à ce qui le dépasse. Il ne me semble pas possible d'expliquer l'espoir comme un simple reflet de ce qui se passe à l'heure actuelle, il ne se limite pas

146

aux signes apparemment favorables des événements présents. Pour moi, ses racines se situent dans la transcendance, de même que les racines de la responsabilité — même si je suis incapable de l'expliquer concrètement, à la différence des chrétiens, par exemple. Enfin, peu importe que l'on admette ou n'admette pas le principe transcendental de l'espoir. Je suis certain que pour un matérialiste athée, il peut se situer plus profondément dans la transcendance que pour un métaphysicien. L'espoir, dans ce sens-là, ne se mesure pas par la joie de voir les choses se dérouler favorablement, ni par notre disposition à investir dans des entreprises promises au succès. Il se mesure par notre capacité à poursuivre des objectifs positifs. Plus cet espoir persistera dans des situations difficiles, plus il sera évidemment profond. Donc, ce n'est pas seulement une forme d'optimisme, mais c'est la certitude que nos actes ont un sens — même si nous ne pouvons pas en connaître le résultat. Il me semble que l'espoir le plus profond, authentique, celui qui nous permet de survivre, qui nous fait agir et qui nourrit l'esprit nous vient d' « ailleurs ». C'est lui qui nous donne le courage de recommencer dans des conditions aussi difficiles que les nôtres. Voilà ce que je voulais dire avant de répondre à votre question.

Vous, de votre côté, vous vouliez sans doute entendre mon opinion sur « l'état actuel du monde » et sur les nombreux signes qui peuvent nous remplir d'espoir. En effet, on en trouve, bien qu'ils soient modestes. Je laisse aux autres, mieux placés pour en parler, le soin de faire leurs réflexions sur Gorbatchev et sur ce qu'on peut entendre d'en haut — c'est-à-dire de ceux qui détiennent le pouvoir. J'y ai toujours attaché moins d'importance qu'à ce qui se passait « en bas », chez ceux qui résistent et se révoltent. Chaque pouvoir représente une forme de domination et reflète, que cela lui plaise ou non, le comportement des dominés. On ne règne pas dans le vide mais sous l'influence de forces divergentes, de ceux qui ont le pouvoir et de ceux qui ne l'ont pas. En plus, ces deux mondes ne sont jamais nettement séparés et ils interfèrent toujours. En observant ce qui se passe « en bas », je dois dire que j'y trouve un mouvement lent, parfois à peine perceptible mais qui me remplit d'espoir. Après dix-sept ans d'inertie et d'immobilité, la situation est tout de même aujourd'hui différente. On arrive à cette conclusion en observant le courage avec lequel s'expriment certains groupes représentatifs. Comme si les gens se réveillaient, comme s'ils se redressaient. Ils sont moins enfermés, ils prennent conscience d'eux-mêmes, ils redécouvrent des liens déchirés. Se lève une nouvelle génération qui n'a pas été traumatisée par le choc de l'occupation soviétique. Pour elle, c'est déjà de l'histoire ancienne, pour elle Dubček représente ce que Kramář était pour nous. On peut donc dire que la société est en mouvement, même si cela se passe plus dans ses couches cachées que dans la zone apparente. Ce mouvement exerce une pression imperceptible sur le pouvoir. Je ne pense pas ici à la pression évidente et publique des dissidents mais à la pression latente qui se manifeste dans des formes très diverses et à laquelle le pouvoir s'adapte contre son gré, même s'il croit y résister. On s'en rend compte en sortant de prison, lorsqu'on compare la nouvelle situation à l'ancienne. Je l'ai constaté moi-même et d'autres prisonniers m'ont affirmé avoir fait la même expérience. Nous avons été surpris par tout ce qui se passait de nouveau, par tout ce que les gens osaient faire, par leur sentiment de liberté exprimé avec plus de courage, par leur soif de vérité et de valeurs vraies.

Prenons par exemple le développement irréversible de la culture indépendante. Il y a dix ans, il n'existait pas une seule revue samizdat et il aurait été suicidaire de vouloir en créer une. Aujourd'hui, il y en a des dizaines, et parmi leurs collaborateurs, vous trouverez même ceux qui étaient considérés comme très prudents. Combien de nouveaux livres samizdat publiés, combien de collections créées, combien de personnes disposées à copier tout cela anonymement — et avec quelle attention ce mouvement est suivi par le public! C'est incomparable avec la situation du début des années soixante-dix. Il y a également du nouveau dans la culture officielle, plus précisément dans un domaine particulier qui se situe dans ses limites, dans cette zone très importante entre la culture officielle et la culture indépendante. Si elles étaient autrefois très nettement séparées, aujourd'hui elles commencent à s'interpénétrer. Si vous allez au concert d'un jeune chanteur ou d'un groupe non-conformiste, ou si vous entrez dans la salle d'un petit théâtre, vous comprendrez que les jeunes gens présents au spectacle vivent dans un monde à eux, différent de celui qui apparaît devant vous à la lecture d'un journal, à l'écoute de la radio ou devant le poste de télévision. Ces deux mondes-là ne s'entrecroisent pas ; au contraire, ils sont plus éloignés encore que dans les années soixante. Lorsqu'on parle de moi à la radio étrangère, je peux être certain que ce sera perçu par un plus grand nombre de gens que lorsqu'on m'attaque dans un journal tchèque. Par rapport à ce qui se passait il y a encore une dizaine d'années, il existe aujourd'hui un organisme indépendant de contrôle du pouvoir, la Charte 77, mais aussi plusieurs phénomènes nouveaux. Le cas de la section de jazz de l'Union des musiciens en est un exemple type. En fait, il ne s'agissait pas d'une association d'opposition ou dissidente, la section de jazz n'avait pas été créée pour donner lieu à une confrontation politique. Ses membres faisaient bien leur travail, ils faisaient ce que, théoriquement, tout le monde devait faire. Mais le pouvoir s'est senti menacé par le dynamisme, la passion et la liberté de cette activité qui allait à l'encontre de sa politique de manipulation générale. Aussi, a-t-il décidé de coincer la section de jazz. Celle-ci, en tant qu'organisation qui faisait auparavant partie des structures officielles, ne s'est pas laissée faire, et depuis trois ans, elle lutte courageusement pour sa survie. Cela n'est pas sans me rappeler l'histoire de *Tvář* dont je vous ai déjà parlé. La section de jazz donne ainsi l'exemple d'un comportement nouveau, c'est un défi et un modèle. Evidemment, on peut en trouver d'autres qui témoigneraient du même « redressement » et qui, il y a quelque temps encore, auraient été difficiles à imaginer. Rappelons-nous le renouveau religieux chez les jeunes, comme l'a démontré la procession à Velehrad. Il ne s'agit pas d'un phénomène de circonstance, mais du résultat logique du mode de vie socialiste, collectiviste et bassement matérialiste, dont l'immobilité, la médiocrité spirituelle et la stérilité morale font tourner le regard des jeunes gens vers d'autres valeurs. Aujourd'hui, ils se demandent quel sens donner à leur vie, où trouver des critères de valeurs, et ils cherchent dans ce monde de la consommation un point fixe, une certitude morale. Ils désirent sortir du mouvement mécanique de la société, trouver un monde naturel à leur image qui leur donnerait de l'espoir. A « l'eschatologie de la non-personnalité », ils opposent leur propre eschatologie.

Il faut dire que dans le milieu des dissidents, ou dans le milieu de la Charte, beaucoup de choses ont également changé. Même si l'opinion du pouvoir sur la Charte 77 n'a pas évolué, il a dû la prendre en considération. Bien que marginalisée, elle fait aujourd'hui partie de la vie sociale et on la considère plus comme représentante d'aspirations diverses que comme un modèle à suivre. On imaginerait mal que la Charte n'existe pas, cela donnerait l'impression d'un vide et d'une relativité des valeurs. Ou bien prenons le VONS — le comité de la Défense des injustement poursuivis : nous avons été plusieurs à être condamnés et emprisonnés parce que nous avions travaillé dans cette « organisation ennemie ». Pourtant, le Comité a tenu le coup ; d'autres ont repris nos places et l'activité n'en a pas été interrompue. Nous avons purgé nos peines, le Comité existe toujours et aujourd'hui, il semblerait inconcevable que le pouvoir en poursuive les membres. Officiellement, il reste toujours une « organisation ennemie » (et là, le pouvoir arrogant ne cèdera jamais), mais ce sont des mots qui ne veulent rien dire : qu'est-ce qu'une « organisation ennemie » qui peut impunément se développer depuis plus de neuf ans ? Le droit d'existence du VONS a été pour ainsi dire acquis par des années de prison.

Pour les observateurs extérieurs, tous ces changements peuvent sembler insignifiants. Ils nous demandent : où sont vos syndicats libres avec au moins leurs dix millions de membres ? Où sont vos députés ? Pourquoi Husák ne négocie-t-il pas avec vous ? Comment se fait-il que le gouvernement ne discute pas vos propositions et ne les réalise pas ? Mais pour les gens d'ici, qui sont sensibles aux changements, rien de tout cela n'est négligeable et ne peut nullement l'être. Leur avenir en dépend, c'est une sorte de promesse. Ils ont compris qu'ils n'avaient rien à attendre des autres.

Finalement, je ne peux m'empêcher de poser la question suivante : tous ces signes de changements rassurants, bien que minimes et quasi imperceptibles, ne sont-ils pas une récompense de l'espoir qui nous agitait au temps où avait commencé

150

comme toute personne capable de réfléchir. C'est une corde suspendue au-dessus de ma tête à laquelle je pourrais m'accrocher si j'étais dans l'impossibilité d'aller plus loin. Le problème c'est qu'on ne peut s'y accrocher qu'une seule fois, c'est la solution définitive qui nous débarrasse de tous les soucis mais aussi de toutes les joies de la vie. Pour le moment, je suis toujours en mesure de vivre et je n'ai donc pas besoin de cette corde. Je n'ai jamais tenté de me suicider et il est peu probable que je le fasse dans un avenir proche. Au contraire, j'essaie de vivre, malgré tout. L'alternative du suicide rend celui-ci — paradoxalement — possible. Sachant qu'elle existe, j'ai la force de ne jamais la tenter. On peut aussi se demander si la vie n'est pas qu'une éternelle remise à plus tard du suicide. Je me sens incapable de répondre à la question de savoir s'il faut le considérer comme une solution. Il l'a été probablement pour ceux qui se sont donné la mort. La solution la plus radicale sans doute, mais qu'en savons-nous, nous qui n'y avons pas été poussés ? Avons-nous le droit d'en parler sur ce ton hautain si nous n'avons pas vécu la douleur qui le précède, le mal et l'impossibilité de supporter le malheur ? En prison, je me suis souvent retrouvé dans des situations où je devais dissuader certains prisonniers de se suicider et j'aurais eu des remords si j'avais vu mourir quelqu'un dont on aurait pu empêcher la mort. (J'ai même été mis au cachot pendant quinze jours parce que j'avais essayé d'empêcher un prisonnier de se suicider ; le directeur de la prison, un fou, m'a crié que je n'avais pas à me mêler de ses affaires.) Pour être sincère, je dois dire que dans la situation inverse, les arguments que j'utilisais n'auraient pas suffi à me convaincre. En effet, il est difficile de savoir pourquoi on vit. Nous avons, bien sûr, reçu la vie ; nous n'avons pas le droit d'y renoncer. Mais d'autre part, on peut objecter que nous ne l'avions pas demandée à Dieu. Et si on nous disait que peu importe qui nous l'a donnée mais que c'est à nous de la vivre et non pas à celui qui nous l'a donnée ? Ou encore que Dieu nous a donné la vie mais a oublié d'y ajouter la force nécessaire pour la supporter ? Heureusement, c'est moins la force des arguments que la force de la vie qui importe, et celle-ci peut être multipliée par des arguments souvent stupides. Il me paraît donc possible que de tels « arguments stupides », mais bien présentés, puissent me sauver la vie si je me trouvais au bout du rouleau. Quoi qu'il en soit, je suis toujours loin de condamner les suicidés, j'ai plutôt tendance à les avoir en estime. Non seulement à cause du courage qu'un tel acte exige, mais aussi parce qu'ils attribuent à leur vie une très grande valeur. Elle leur semble trop précieuse pour qu'on la dévalorise par une existence vide, sans amour, sans espoir, sans sens précis. Et parfois je me dis que les suicidés sont les gardiens tristes du sens de la vie.

On dit que vous êtes converti. Si c'est vrai, avez-vous vécu le moment mystique qui, selon vos lettres de prison, est nécessaire à la conversion ?

Je ne sais pas dans quelle mesure je me suis converti, cela dépend de ce que vous voulez dire par ce mot. D'après le sens que je lui donne, je dois répondre par la négative. Je ne suis pas devenu catholique pratiquant, je ne vais pas régulièrement à l'église, depuis mon enfance je ne me confesse pas (dans le sens institutionnel du mot), je ne prie pas et quand j'entre dans une église, je ne fais pas le signe de croix. En prison je participais aux messes clandestines mais je ne communiais pas. Cependant, je crois depuis toujours qu'il y a un mystère de la vie, que les choses ont un sens, qu'il y a une autorité morale, que l'Univers obéit à un ordre — qu'il n'est donc pas un simple amas de hasards improbables. Dans ma propre vie, j'aspire à quelque chose qui me dépasse, qui va au-delà de l'horizon de mon existence et je pense que tout ce que je fais touche d'une façon ou d'une autre à l'éternité. Ce n'est qu'en prison que j'ai commencé à y réfléchir, j'essayais de l'analyser et de le décrire. Mais cela ne signifie pas que je me sois onverti — car la conversion est avant tout un changement. Il se peut que je comprenne mieux aujourd'hui mes amis catholiques ou protestants (je les fréquente plus, ce qui fait peut-être dire aux autres que je me suis converti). Cependant, si je comprends bien le sens d'une réelle conversion, il me faudrait remplacer un « quelque chose » vague par Dieu, dans toute son évidence ; il me faudrait accepter pleinement le Christ en tant que Fils de Dieu et la liturgie qui en résulte. Et je n'ai pas fait ce pas-là. Je ne suis d'ailleurs pas sûr qu'une « révélation mystique » soit indispensable. Certains de mes amis croyants me disent qu'ils ne sont pas passés par là et qu'ils n'en avaient pas besoin pour leur foi. Quoi qu'il en soit, je ne me considère comme « croyant » que dans le sens utilisé dans mes lettres. Je pense que la vie et l'univers n'existent pas seulement « en soi » ; selon moi, rien ne disparaît à jamais, nos actes non plus, et ainsi j'explique ma conviction que dans la vie, il faut tenter autre chose que ce qui vous rapporte du profit immédiat. Cette conception de la foi est évidemment trop large, et simplement l'admettre ne signifie pas automatiquement devenir chrétien et croyant. Il serait irresponsable de le considérer ainsi (d'ailleurs même les théologiens les plus progressistes ne le font pas, je crois). Je peux adhérer à la morale chrétienne (ce qui, j'avoue, ne me réussit pas toujours) sans pour autant être chrétien. Bref, je peux considérer le Christ comme le Fils de Dieu dans le sens métaphorique du mot (en tant qu'archétype de l'homme), mais pas dans le sens profond, comme c'est le cas des croyants.

Vous avez déjà parlé de vos pièces de théâtre. Qu'avez-vous écrit d'autre ?

Depuis mon enfance, j'écris des articles, des réflexions, des essais. Les plus anciens datent des années cinquante et ils n'ont pas été publiés (je ne le souhaiterais même pas). Je les ai rassemblés dans un volume dactylographié. Parmi eux, on trouve par exemple un essai sur Bohumil Hrabal, alors qu'il n'avait encore rien publié, c'était probablement la première analyse de ses livres.

Dans les années soixante, j'ai publié régulièrement différentes réflexions sur le théâtre, des portraits d'acteurs et de metteurs en scène, notamment pour la revue *Le Théâtre*. En plus, j'écrivais dans les programmes de théâtres et d'expositions, des préfaces, des postfaces et diverses notices. Aujourd'hui j'aurais du mal à les retrouver toutes. Dans mon livre *Les Protocoles*, a paru également mon recueil de poèmes typographiques intitulé *Les Anti-codes*. Mes essais, articles, chroniques et autres textes des années soixante-dix ont été rassemblés dans le livre *Pour l'identité humaine* (éditions Rozmluvy à Londres). L'essai le plus long et probablement le plus important de ce livre est *Le pouvoir des impuissants* qui date de 1978. Nous avons déjà parlé des *Lettres à Olga* (Sixty-Eight Publishers à Toronto) écrites en prison. Les seize dernières lettres qui forment un ensemble, avaient été publiées précédemment chez Rozmluvy sous le titre *Le défi pour une transcendance*, avec une remarquable préface de Sidonius. Parmi mes nombreux essais écrits depuis ma libération, je voudrais citer *La politique et la conscience, La responsabilité en tant que destin, L'antinomie d'une timidité*. Personnellement, je considère comme assez importante une longue interview que j'ai accordée, après ma libération, aux journalistes étrangers et qui a paru en tchèque comme supplément de la revue *Listy*. Il se peut que tous ces textes soient rassemblés un jour dans un volume. Je me demande ce que j'aurais pu oublier... oui, mon mémoire de fin d'études de l'Académie des Arts dramatiques, consacré à l'analyse de ma pièce *La difficulte accrue de se concentrer*, et mon commentaire d'une autre pièce — *Les Complices* — écrit dans les années soixante-dix, où j'analyse en une soixantaine de pages la crise de l'identité (je crois avoir défini pour la première fois dans ce texte mon sujet dramatique fondamental) et qui est probablement bien meilleur que la pièce elle-même. Pour être complet, je devrais dire que je suis l'auteur, ou coauteur, de nombreuses proclamations et de documents collectifs, notamment depuis que La Charte 77 existe.

Comment définiriez-vous l'esthétique ou la poétique de vos pièces ? Quel est leur dénominateur commun et comment pourriez-vous vous caractériser en tant qu'auteur dramatique ?

Pour répondre à votre question, il faut que je me regarde de l'extérieur, ce qui n'est pas la tâche la plus facile. Pour le faire, je vais me limiter, dans cet « autoportrait », à une définition rapide de mes traits caractéristiques, tels que je les perçois moi-même. Je vais commencer par ce qui est apparent. Dans mes pièces, vous ne trouverez guère de fines analyses d'ambiances particulières ou un large éventail de situations psychologiques nuancées par des descriptions d'états d'âme. Vous n'y trouverez pas non plus de procédés raffinés servant à cacher les structures de mes pièces, les schémas selon lesquels elles sont conçues. Elles ne vous rappelleront donc pas nécessairement des sujets que vous rencontrez dans votre vie et qui seraient développés avec une certaine spontanéité. Je construis mes pièces, je ne cache pas leur structure ; au contraire, j'essaie de la rendre apparente, je la dévoile, je lui donne des dimensions géométriques, nettes et régulières. J'espère qu'on ne considère pas cela comme une maladresse ou comme un artifice, mais qu'on y voit un procédé voulu. J'ai déjà dit que je n'avais pas d'oreille et que je n'étais pas un grand connaisseur de musique. Mais je crois qu'en analysant la construction de mes pièces, elles peuvent être interprétées comme une composition musicale. Je m'amuse à créer des motifs symétriques et asymétriques, à les entrecroiser, à les couper et les développer selon des règles rythmiques, à les mélanger et les refléter dans leurs propres oppositions. Je tiens beaucoup à la structure analogique des dialogues, aux répliques, aux répétitions avec des variantes, à leurs reprises par d'autres personnages, à leurs échanges, aux dialogues menés à rebours, aux changements rythmiques au cours de la conversation, à la dimension temporelle. Tout cela apparaît dans mes pièces. Dans l'une d'elles, qui s'appelle *L'hôtel à la montagne,* j'ai essayé d'utiliser tous ces procédés au point d'en faire le sujet de ma pièce. C'était, dans un certain sens, une pièce sur elle-même, avec sa « métasémantique ». Je crois qu'on se rend facilement compte de l'aspect schématique, voire mécanique de mes pièces. Ce n'est pas ainsi parce que j'aurais décidé d'utiliser arbitrairement ce procédé bizarre mais parce que cela correspond à mon style et à mon caractère. La signification de mon écriture peut être savamment expliquée comme une illustration de certains processus sociaux ou psychologiques et de la manipulation de l'homme dans le monde moderne, qui a ses origines dans la science et la technologie. Ces interprétations ne me dérangent pas, elles sont légitimes et je les approuve ; je voudrais juste répéter que mon écriture n'a pas été inventée pour répondre aux besoins « idéologiques ». Elle relève plus de ma nature d'écrivain ; chaque image déclenche un sens particulier, qui nous pousse plus loin dans l'écriture. Tout ce qui, dans un texte, est valable, a encore une autre signification, que l'auteur le veuille ou non.

Autre chose que je voudrais mentionner : mon intérêt pour

la langue. Ce qui m'intéresse chez elle, c'est son ambivalence, ce sont les abus ; elle m'intéresse en tant que force créatrice de la vie, des destins, des univers, en tant qu'art, en tant que rituel, en tant que conjuration. Les mots m'intéressent aussi, lorsqu'ils sont porteurs d'une dimension dramatique, lorsqu'ils sont une sorte de carte d'identité du locuteur qui s'affirme ou se présente à travers eux. Les phrases et les slogans m'intéressent, car la place qu'ils occupent dans notre vie, leur contexte linguistique et leur interprétation sont souvent plus importants que la réalité même et deviennent, par conséquent, la réalité la plus réelle. On a dit au sujet de *La fête en plein air* que son protagoniste en est la phrase. La phrase organise la vie, elle s'approprie l'identité des individus, elle règne, elle fait la loi. J'aime écrire de beaux discours où le non-sens se justifie logiquement. J'aime écrire des monologues dont les vérités indiscutables ne sont, au fond, que des mensonges. J'aime, par-dessus tout, écrire dans mes pièces des passages ambigus, que le spectateur ne peut considérer que comme des évidences avec lesquelles il s'identifie, mais où il perçoit quand même un mensonge qui le rend incertain quant au sens ultime que j'ai donné à la pièce. Dans les *Tentations* par exemple, Foustek explique à Marguerite ce qu'il pense de l'existence et il dit pratiquement la même chose que moi dans mes lettres de prison ou encore ce que j'explique, à quelques mots près, dans cet entretien. Et pourtant, ce discours est faussé. Car Foustek s'en sert pour séduire Marguerite. De plus, il réussit. Il abuse donc de la vérité, même s'il y était arrivé tout à fait honnêtement. Mais peut-on l'appeler encore vérité ? On voit que toute la misère de Foustek et de notre monde commence là où on abuse du langage et de la vérité. Pourtant, le spectateur ne doit pas en avoir la certitude absolue, cette ambiguïté doit l'inquiéter d'autant plus qu'il sait — surtout s'il est un homme — que c'est au moment où l'on séduit les femmes qu'on formule le mieux les vérités. Dans *L'avertissement*, le protagoniste justifie son écroulement moral par l'absurdité du monde et l'aliénation à travers un langage emprunté à l'existentialisme. Je me souviens d'un spectateur qui m'avait demandé si je voulais expliquer ainsi l'écroulement moral du protagoniste ou si je me moquais de mon héros pour démontrer mon propre refus du marxisme, en le revisant par la philosophie contemporaine. L'inquiétude de ce spectateur m'a réjoui, c'était exactement l'effet que je souhaitais. Un slogan reste toujours un slogan, il n'y a pas des slogans progressistes et des slogans réactionnaires. La forme un peu mécaniste de mes pièces démontre bien ce qui est fondamental dans mon théâtre : je m'appuie moins sur la psychologie des personnages et sur l'évolution des sujets que sur les métamorphoses des signes, des motifs, des arguments, des thèses, des mots. Ce sont ces éléments dramatiques qui font évoluer l'histoire. Il en résulte que mes pièces sont en grande partie schématiques, qu'elles rappellent le théâtre de marionnettes et que les personnages y sont comme des jouets mécaniques. Certains critiques, metteurs en scène ou acteurs avaient du mal à l'accepter, ils me demandaient d'introduire plus d'éléments de psychologie, de couleurs, de hasards, d'irrégularités. Mes pièces leur semblaient construites d'après un calcul ou un schéma géométrique. Ils regrettaient l'absence du mystère, du miracle, de l'imprévisible, de l'espoir, de tout ce qui rend notre vie unique. Je les comprenais mais en même temps j'avais mes raisons d'écrire les pièces comme je les écrivais.

Je devrais aussi répondre à la question concernant le sujet de mes pièces : de quoi parlent-elles ? Que je le veuille ou non, le thème de l'identité humaine revient de façon obsédante, c'est mon sujet fondamental, il traduit ma vision du monde et je ne le choisis pas par hasard. Il faut dire que c'est un sujet typiquement théâtral : qui est qui ? — apparemment ou réellement —, ce sont des questions propres au théâtre. Le processus du dévoilement, de la découverte, de la reconnaissance du vrai visage humain, commence dans le théâtre grec et va jusqu'au théâtre contemporain. Le problème de l'identité concerne aussi bien le masque que le déguisement. Dans mes pièces, ce sujet reçoit une forme spécifique, car il y est traité comme une crise de l'identité. Il ne s'agit pas de l'identité cachée sous un masque, sous l'hypocrisie ou sous une comédie sociale, mais de l'identité qui s'écroule, qui se décompose, qui se perd. C'est déjà le sujet de ma première pièce, *La fête en plein air*. Le protagoniste, Hugo, part pour voir le monde — à la manière du brave Jeannot des contes de fées tchèques — et il ne rencontre qu'une chose : des phrases, des slogans. Il s'adapte, car il apprend vite, et il s'identifie avec le monde des slogans. Plus il s'identifie, plus il monte. Quand il arrive au sommet, il se perd dans le monde des slogans au point qu'il cesse d'être lui-même. La pièce se termine par la scène où Hugo se rend visite à lui-même. Non pas pour se retrouver, mais pour assurer sa position en rendant visite à une personne importante. Il s'agit plus que d'un malentendu, bien que symbolique : il ignore que l'homme influent, dont on lui a parlé, est lui-même.

Que puis-je dire encore à ce sujet ? Que je me sens plus proche du théâtre traditionnel que du théâtre d'avant-garde. Le rideau se lève, sur la scène on voit un salon, des portes (j'aime bien les portes, elles délimitent l'espace et ont leurs mystères), un personnage apparaît, il dit bonjour, il commence à parler et la pièce démarre. Je ne fais pas monter les spectateurs sur la scène, je ne fais pas jouer mes acteurs au milieu des spectateurs, les acteurs restent toujours les personnages qu'ils représentent. C'est un jeu normal où la cause précède l'effet. Selon moi, il faut des règles et des conventions, sinon on ne change rien, on ne déforme rien, on ne transforme rien quand on remplace celles qui avaient déjà remplacé les précédentes. Lorsque tout est permis, il n'y a plus de surprise. Le drame suppose l'ordre. Ne serait-ce que pour surprendre — en le perturbant.

Que répondriez-vous si on objectait que dans vos pièces il n'y a aucune transgression, aucune place pour le mystère, pour ce qui donne à la vie sa diversité ?

Je répondrais en me référant à la peinture. Prenons par exemple un tableau fait sur le mode surréaliste ou post-surréaliste. Imaginons une station de métro avec une femme, une figure fantomatique, des œufs cassés et un parapluie appuyé contre le mur. Si le tableau est bon, nous serons touchés par son atmosphère étrange et nous y retrouverons des reflets de notre propre psychologie, de notre inconscient. Il est possible que nous ressentissions des frissons en le regardant, car il correspondra aux archétypes de notre imagination.

Toutes ces références sont représentées par des symboles et sont contenues dans le sujet même du tableau. Ensuite, on peut imaginer un autre tableau, une abstraction géométrique qui ne contient aucune énigme, aucun mystère, où il n'y a que des cercles ou des carrés de couleurs, dont l'ordre est précis. Tout y est exact, on ne se pose pas de questions. Ce tableau pourrait être fait par un ordinateur et il est, en fait, inutile parce que tout ce qu'il contient est facile à imaginer ou à expliquer. Et pourtant, je suis persuadé que ce tableau aussi a son mystère. Il se trouve ailleurs que dans ses formes et ses couleurs, il est dans le vide, entre les cercles, il est dans la composition de tous ses éléments, il pose la question de ce qu'ils sont, de ce qu'ils signifient, de leur origine. Est-ce que l'existence de ces formes géométriques n'est-elle déjà pas un mystère ? Ne sont-elles pas des archi-formes de notre pensée ? Ou de la pensée de Dieu ? Pourquoi existent-elles ? Que nous communiquent-elles ? D'où vient leur ordre ? Est-ce l'ordre de la vie ou l'ordre de la mort ? Qu'y a-t-il dans ces cercles, entre eux, derrière eux ? Rien ? Ont-ils une substance ou ne sont-ils qu'une autre forme de ce rien ? Sont-ils l'abstraction de quelque chose d'universel ou le seul produit d'une pensée malade ? Par quoi le peintre est-il obsédé ? Que veut-il nous communiquer ? Que sait-il de particulier ? Est-ce le message de sa paix intérieure ou l'expression de son désespoir le plus profond ?

Voilà des questions que l'on pourrait continuer à poser. Je crois que toute œuvre d'art contient un mystère, ne serait-ce que dans sa composition, dans le contact des formes, dans les significations du sujet ainsi structuré. Chaque œuvre d'art renvoie à ce qui la dépasse, à ce qui dépasse aussi son auteur, elle crée un champ magnétique qui agit sur notre raison et sur nos sens. Les rayons qu'elle émet sont incalculables et on ne sait pas jusqu'où ils vont. Ils perdent de leur intensité mais mènent à l'infini. Si je n'espérais pas que mes propres pièces aient un pouvoir semblable, je ne les écrirais pas.

Que répondriez-vous à ceux qui reprochent à vos pièces leur pessimisme, leur désespoir ? Admettez-vous que l'univers de vos pièces soit en contradiction avec les positions que vous prenez dans la vie ?

Je dirais que la tâche du dramaturge, du moins telle que je la sens et la pratique, n'est pas de faciliter la vie du spectateur en lui montrant des héros positifs dans lesquels il peut mettre son espoir, ni de lui donner un sentiment d'apaisement — quand il sort du théâtre — parce qu'il croit que ces héros feront tout à sa place. Cela lui rendrait un bien mauvais service. J'avais déjà dit que l'espoir, nous devons l'avoir en nous-mêmes. On ne peut pas le demander à quelqu'un d'autre. Mon ambition n'est donc pas d'apaiser le spectateur à l'aide d'un beau mensonge ou de le consoler en lui proposant de résoudre ses problèmes. Je ne pense pas pouvoir l'aider de cette façon-là. J'essaie de faire quelque chose d'autre, de lui poser des questions devant lesquelles il ne devra pas s'esquiver — et auxquelles il n'échappera pas, de toute façon — et j'essaie de lui montrer sa misère, ma misère, notre misère commune. Et de lui rappeler par là qu'il est grand temps de bouger. Les seules solutions, les seuls espoirs qui sont précieux sont ceux que l'on trouve en soi-même en nous et pour nous. Eventuellement avec l'aide de Dieu. Mais le théâtre ne les apporte pas, ce n'est pas une église. Le théâtre devrait être — avec l'aide de Dieu — le théâtre. Et son rôle est de rappeler qu'il se fait tard, que la situation est grave, qu'il ne faut plus attendre. Dessiner les contours de la misère signifie encourager les gens à l'affronter. Comme l'a dit Jirous sur mes *Tentations*, il résulte de cette pièce qu'on ne doit jamais pactiser avec le diable. Cependant, c'est le spectateur lui-même qui doit arriver à cette conclusion, je ne peux que lui montrer ce qui se passe quand on pactise avec le diable. Je répète ce que Glucksmann avait dit : notre mission est de prévenir, de pressentir les catastrophes, d'attirer l'attention sur ce qui est mauvais. Face au mal concentré, les gens peuvent distinguer les valeurs positives. En les désignant clairement sur scène, on enlève aux spectateurs la possibilité de s'en rendre compte. Dans les *Tentations*, Fistula dit : « Je n'ai pas de conseils à donner, je ne règle rien pour les autres. A la rigueur, je les stimule. » Ces phrases sont mon credo d'auteur dramatique. Chacun doit trouver sa propre solution. Si je lui montre qu'il est temps d'agir, ma tâche est remplie. Je ne peux que mettre l'accent sur les problèmes concrets et sur certaines questions, donner l'exemple de solutions possibles, situer l'homme face à lui-même en lui disant : « Vos propres solutions seront les bonnes ». Elles lui appartiennent, ses actes en résulteront. Vous allez objecter qu'autrefois le théâtre ne pouvait pas se passer des plus grands héros positifs, même si c'étaient des personnages tragiques. C'est vrai. Le théâtre reflète toujours ce qui est essentiel en son temps. Aujourd'hui, ces héros, quand ils apparaissent, sont comiques, faux, sentimentaux. Ce n'est pas le résultat d'une conjuration des auteurs dramatiques. La réponse à cette question, vous la trouverez dans le monde d'aujourd'hui.

Et une dernière remarque la plupart des gens sont incapables de lire les pièces de théâtre (pourquoi devraient-ils en être capables, je me le demande aussi ; le théâtre deviendrait inutile). Ils ne sont pas en mesure de donner au plaisir individuel — celui de la lecture — la dimension collective — celle du spectacle. Dans la salle, tout se passe autrement que dans un fauteuil, chez soi. J'ai participé, en tant que membre du personnel, à un nombre incalculable de représentations de mes pièces au *Théâtre sur la balustrade*. A cette occasion, je pouvais étudier en détail les réactions du public. Et chaque fois je constatais qu'une pièce était différente quand elle était interprétée sur scène. A sa lecture, vous ne pouvez être que déprimé en vous apercevant qu'elle se termine mal et qu'il n'y a pas de personnages positifs. Au théâtre, dans l'atmosphère excitante de l'entente collective, vos sentiments changent. Même la vérité la plus insupportable, quand elle est exprimée à haute voix et devant tout le monde, est libératrice. L'ambivalence spécifique du théâtre fait que les scènes terrifiantes (plus terrifiantes qu'à la lecture des pièces) se mêlent à un sentiment inconnu (lors de la lecture, on ne le ressent pas) qui est la joie, partagée avec les autres spectateurs, de la vérité dite à haute voix et en public. Cette ambivalence est depuis toujours étroitement liée à la catharsis. Jan Grossman a dit autrefois que le héros positif de mes pièces était le spectateur. Cela ne veut pas seulement dire qu'après ce qu'il a vu au théâtre il cherche, en rentrant chez lui, une solution (comme une sorte de prise de conscience intransmissible), mais qu'il devient déjà « le héros positif » en participant à la catharsis collective, lorsqu'il ressent, en regardant la pièce, la joie libératrice du mal dénoncé. C'est en définissant la misère du monde qu'on crée, paradoxalement, un sentiment édifiant. C'est là que se trouve le début de l'espoir véritable — non pas celui des happy end. Pour arriver à ce résultat, il faut que la pièce soit bien faite ; des scènes terrifiantes ne suffisent pas à créer la catharsis. Il faut que le tissu de la pièce contienne les enzymes qui produisent la réaction voulue. Comment y parvenir ? C'est mon problème, je ne peux être jugé que sur le résultat obtenu. Le résultat théâtral, bien sûr.

Voici ma dernière remarque sur la contradiction entre l'univers de mes pièces et mon activité civique. J'en parle dans mes lettres de prison et je l'ai déjà mentionnée partiellement dans notre entretien ; je n'en dirai donc que quelques mots. S'il est bien connu que l'art est régi par d'autres lois que celles de la vie normale, je dois néanmoins souligner la complémentarité du « sens » et du « non-sens ». Plus on se rend compte de l'absence de « sens » — donc de l'absurdité de la vie — plus intensément on le cherchera ; si on ne luttait pas contre l'expérience de l'absurdité, on n'aurait pas d'objectifs devant soi. Si on ne désirait pas profondément connaître le sens des choses, on ne ressentirait pas les blessures subies du « non-sens ».

Vous venez de parler de vous-même en tant que dramaturge. Si vous deviez vous juger en tant qu'homme, que diriez-vous ? La cinquantaine approchant, vous pourriez vous en servir comme prétexte à une brève réflexion

La première cnose qui me vient à l'esprit, et l'unique chose que je puisse dire maintenant à ce sujet plutôt délicat, est que ma vie, mon travail, ma position et mon activité me semblent se composer d'un grand nombre de paradoxes. Regardez, je touche à tout et je ne suis spécialiste dans aucun domaine. Avec les années, on me considère comme une sorte d'homme politique et pourtant je ne l'ai jamais été, je n'ai jamais voulu l'être et je ne crois pas avoir de dispositions particulières pour le devenir. Je suis considéré par mes adversaires et par mes amis comme un phénomène politique, même si mon activité ne

163

peut pas être considérée comme un vrai travail politique. Je me mêle de la philosophie — et qui pourrait me considérer sérieusement comme un philosophe ? Ma culture philosophique est plus que fragile et fragmentaire, même si j'aime, depuis ma jeunesse, lire des ouvrages philosophiques. De temps en temps j'écris sur la littérature — et je ne suis sûrement pas un critique littéraire. Je touche même à la musique et quand je me mets à chanter, on rit de moi. Et je dirais que dans le théâtre, qui est ma profession, je ne suis pas un vrai spécialiste non plus. J'ai fait mes études à la faculté d'art dramatique en hâte et sans grande passion, je n'aime pas lire les pièces de théâtre ni les livres sur le théâtre ; la plupart des théâtres ne m'attirent guère, je n'ai, à la rigueur, que ma vision personnelle de ce que je voudrais faire comme dramaturge et c'est dans cet esprit que j'écris mes pièces. Au fond, je ne suis pas certain d'envisager le théâtre comme ma mission unique et irremplaçable. J'imagine assez bien que je pourrais me consacrer avec passion à autre chose. Je ne me prends sûrement pas pour quelqu'un qui ne connaît que le théâtre et ne s'intéresse à rien d'autre. Et plutôt que de m'occuper de dramaturgie dans un théâtre quelconque, parce que c'est ma formation, je préférerais travailler dans la brasserie. D'ailleurs, je me trouve aussi assez suspect en tant qu'auteur dramatique ; je suis capable d'écrire dans les limites de ma propre poétique mais si je me vois obligé d'écrire une pièce différemment, je crains le fiasco. Bref, bien que je sois présent dans divers domaines, je n'appartiens à aucun, ni professionnellement, ni par ma formation, ni par mes qualités, ni par mon talent, ni par mon destin. Je ne veux pas dire que ceux qui mènent une telle existence mouvementée, instable et provocante ne soient pas nécessaires. Mais cela ne change en rien le paradoxe entre le sérieux avec lequel on me reçoit, et l'amateurisme fondamental de mon activité.

Ce que je viens d'évoquer n'est que le début des vrais paradoxes de ma vie privée : j'ai choisi délibérément de mener une existence mouvementée, je sème le trouble mais en même temps je n'aspire qu'au calme. J'adore par-dessus tout l'harmonie, la paix, l'entente, la compréhension, l'indulgence des uns pour les autres (je voudrais tant que tout le monde s'aime !), je supporte très mal les conflits, les malentendus, le désordre — et pourtant, je suis en conflit permanent avec le pouvoir, les autorités, les institutions ; j'ai une réputation d'agitateur, de contestataire, pour qui rien n'est sacré ; et même mes pièces sont tout autre chose que l'image du calme et de la paix. Je suis un homme très peu sûr de soi, je suis presque névrosé, je panique, j'ai souvent peur — pour cela il suffit que le téléphone se mette à sonner — je doute de moi et comme si j'étais masochiste, je ne cesse de me culpabiliser et de me maudire. En même temps, on me considère (parfois à raison) comme un homme sûr de lui et de ce qu'il fait, admirablement équilibré, judicieux, persévérant, pragmatique et défendant avec réalisme ses opinions. Je suis rationnel, ordonné, discipliné, fiable, parfois même bureaucratiquement minutieux et en même temps hypersensible, presque sentimental, attiré par ce qui est mystérieux, magique, illogique, inexplicable, grotesque et absurde ; bref, tout ce qui est étranger à l'ordre ou à ce qui le rend discutable. Je suis une personne qui aime la société et la compagnie, je ne cesse de rassembler les gens, je les amuse et je suis souvent invité pour amuser, je suis un flâneur, sensible aux joies et aux péchés de la vie — et pourtant, je préfère la solitude et ma vie n'est qu'une incessante recherche d'isolement.

Vous avez mentionné tout à l'heure un autre paradoxe, bien que je puisse expliquer qu'il n'en est pas vraiment un : j'écris des pièces pessimistes, voire cruelles, et pourtant, je me comporte comme un Don Quichotte, comme un rêveur éternel qui se bat naïvement pour des idéaux. Au fond, je suis timide et craintif, bien que je sois perçu comme un agitateur qui n'hésite pas à dire à ses adversaires les mots les plus durs.

Autre chose encore, que j'ai déjà mentionnée : pour certains, je représente l'espoir, et pourtant je connais fréquemment des moments de dépression, d'incertitude, de doute. Je ne cesse de chercher mon propre espoir intérieur, je le ramène difficilement à la vie, je lutte pour le maintenir mais on s'imagine que j'en ai suffisamment pour le donner. Je ne conviens guère au rôle de distributeur d'espoir puisque j'ai plutôt besoin d'être encouragé. On me prend pour un homme fort, résistant, féroce, qui n'hésite pas à aller en prison même si d'autres alternatives, bien plus attrayantes, s'offrent à lui. Je dois

165

sourire, en pensant à cette réputation. Car, au fond, mon courage et ma persévérence s'inspirent plutôt des craintes devant ma propre conscience qui me torture lorsque j'échoue ou semble échouer. Tout mon héroïsme de prisonnier ne résultait, en réalité, que de la peur et de craintes incessantes : comme un enfant pris de panique parce qu'il est confronté à la vie, apeuré d'avance et doutant de sa place sur terre, je supportais la prison probablement plus mal que ne l'aurait supportée la plupart de ceux qui m'exprimaient leur admiration. Il me suffisait d'entendre hurler quelque part dans le couloir « Havel ! » et déjà je paniquais. Une fois, après l'avoir entendu, j'ai sursauté avec un tel effroi que je me suis cassé la tête contre la fenêtre. Et malgré cela, je sais que s'il le fallait, je le subirais de nouveau et que je tiendrais le coup.

Je pourrais continuer encore longtemps à énumérer ces paradoxes mais mon horreur de parler de moi-même en public prend le dessus sur le désir de vous répondre correctement. Je finirai donc par la question que je me pose en pensant à mes paradoxes : Comment tout cela s'harmonise-t-il ? Quel est le rapport entre ces choses-là ? Comment se fait-il qu'elles ne s'excluent pas mutuellement mais au contraire coexistent et même assez bien ? Qu'est-ce que cela signifie ? Que dois-je en penser ? Comment se fait-il que ce nœud de contradictions bizarres que je suis, puisse traverser une vie — et même, me dit-on, avec un certain succès ?

Pour finir, une dernière question : comment imaginez-vous votre avenir ? Qu'est-ce qui vous attend, selon vous ? Qu'espérez-vous, qu'attendez-vous ?

Je pense que mes paradoxes vont continuer. Je souffrirai devant la feuille blanche, je trouverai tous les prétextes possibles pour ne pas devoir écrire et je serai comme toujours effrayé par les premiers mots notés. J'essayerai de m'encourager, je désespérerai parce que je ne serai pas content mais j'écrirai quand même une nouvelle pièce. Les démons qui me poussent à écrire et qui savent comment me torturer, ne me laisseront pas en paix et finiront toujours par me vaincre. Je serai encore agacé par les espoirs, inopportuns ou absurdes,

166

que d'autres mettront en moi et par les rôles dont je devrai m'acquitter en tant que leur représentant ou comme bon samaritain. Je me révolterai encore, en revendiquant mon droit au calme, et pourtant, j'accomplirai mon devoir et j'en serai heureux. Comme toujours, je souffrirai, j'aurai peur, je paniquerai, je me culpabiliserai, je me maudirai, je désespérerai, mais les gens sauront qu'ils peuvent compter sur moi, qu'ils me trouveront là où est ma place. Je le paierai cher mais je le supporterai quand même et je continuerai à inquiéter quand il le faudra. C'est le moment de conclure sur ces prévisions — et sur tout notre entretien — en évoquant le plus grand paradoxe de ma vie : je me soupçonne d'être passionné par cette vie paradoxale...

Je vous remercie.

Bonn — Prague, 1985-1986

167

NOTES BIOGRAPHIQUES

Václav BĚLOHRADSKÝ (né en 1944). Etudes à la faculté de Philosophie et Lettres de l'Université de Prague. Après 1968 part en exil; est nommé professeur de sociologie à l'Université de Gênes. Essais philosophiques sur l'Europe centrale.

Václav BENDA (né en 1946). Mathématicien et philosophe. Signataire de la Charte 77, connu pour ses positions en faveur des mouvements pour la défense des Droits de l'homme.

Václav ČERNÝ (1905-1987). Critique littéraire et professeur de littérature comparée. Chassé de l'Université Charles en 1949, réhabilité puis exclu à nouveau en 1969. Auteur d'importants *Mémoires*, où il décrit les péripéties de l'intelligentsia tchèque, des années vingt à aujourd'hui.

Jiří DIENSTBIER (né en 1937). Journaliste, signataire de la Charte 77, dont il fut le porte-parole à deux reprises.

Prokop DRTINA (1900-1980). Homme politique. Collaborateur du président Edvard Beneš qu'il a accompagné en exil pendant la guerre. Ministre de la Justice jusqu'à 1948.

Josef Ludvík FISCHER (1894-1973). Philosophe et sociologue.

Miloš FORMAN (né en 1936). Cinéaste, personnalité importante de la « nouvelle vague » du cinéma tchèque des années 60. Auteur de : *L'As de pique, Les Amours d'une blonde, Au feu les pompiers ;* vit aux Etats-Unis où il a tourné, entre autres, *Taking off, Vol au-dessus d'un nid de coucous, Hair, Amadeus...*

Jan GROSSMAN (né en 1925). Dramaturge, critique de théâtre. Met en scène, entre autres, *Le brave soldat Švejk* de Jaroslav Hašek. Depuis 1969 ne peut plus travailler à Prague.

Jiří GRUŠA (né en 1936). Poète, romancier (*Prière pour une ville*, éd. Gallimard), cofondateur des revues littéraires *Tvář* et *Sešity*; vit en RFA.

Jiří HÁJEK (né en 1913). Homme politique, historien. Ministre des affaires étrangères en 1968. Importante personnalité de l'opposition politique en Tchécoslovaquie, notamment depuis la Charte 77 dont il fut un des trois premiers porte-parole.

Ladislav HEJDÁNEK (né en 1927). Philosophe, essayiste. Organise des séminaires privés sur la philosophie.

Bohumil HRABAL (né en 1914). Romancier. Ses livres publiés depuis 1963 connaissent un immense succès en Tchécoslovaquie et seront vite traduits à l'étranger. Depuis 1968, est à la fois critiqué et « récupéré » par le régime. Ses livres ont de différentes versions, selon qu'ils sont publiés en « samizdat », dans des maisons d'éditions étrangères ou dans les maisons d'éditions officielles en Tchécoslovaquie. En français, entre autres : *Moi qui ai servi le roi d'Angleterre, Les trains étroitement surveillés, La petite ville où le temps s'arrêta, Une trop bruyante solitude* (éd. Laffont).

Ivan JIROUS (né en 1944). Historien de l'art, relance la « culture underground » qui se situe dans l'opposition au régime.

Pavel KOHOUT (né en 1928). Poète et auteur dramatique. Après une période « stalinienne », devient l'un des plus importants écrivains du Printemps de Prague. En 1978 séjourne en Autriche, l'année suivante est déchu de la nationalité et interdit de retourner en Tchécoslovaquie.

Jiří KOLÁŘ (né en 1924). Ecrivain, collagiste, ses *Journaux* sont publiés aux éditions de la Différence. Personnalité importante de la culture « parallèle » depuis les années 50. En 1980, s'établit à Paris.

Milan KUNDERA (né en 1929). Auteur dramatique, essayiste, romancier. En 1958 termine ses études à la Faculté du cinéma de Prague, où il enseignera plus tard. Depuis 1975 vit en France. Auteur, entre autres, de *La plaisanterie, La valse aux adieux, La vie est ailleurs, Le livre du rire et de l'oubli, L'insoutenable légèreté de l'être* (éd. Gallimard).

Jiří LEDERER (1922-1983). Journaliste, plusieurs fois arrêté depuis 1968, mort en exil. Auteur d'entretiens avec les écrivains tchèques.

Antonin J. LIEHM (né en 1924). Journaliste, critique de cinéma, traducteur. Travaille pour *Literární noviny*, un hebdomadaire culturel qui a joué un rôle important avant et pendant le Printemps de

Prague. En exil depuis 1969, d'abord aux USA, ensuite à Paris, où il publie la revue *Lettre internationale*.

Zdeněk MLYNÁŘ (né en 1930). Homme politique. En 1968 secrétaire du Comité central du Parti communiste. Depuis 1977 vit à Vienne.

Jan NĚMEC (né en 1932). Philosophe, collaborateur de *Tvář*. Vit à Vienne.

Ota ORNEST (né en 1913). Auteur dramatique, metteur en scène. Le procès avec le « Groupe Ornest », pour la soi-disant activité subversive, a eu lieu en octobre 1977 à Prague.

Jan PATOČKA (1907-1977). Philosophe, élève de Husserl, professeur à l'Université Charles, d'où il sera chassé en 1948, réhabilité puis exclu à nouveau après les événements de 1968. Mort suite à un interrogatoire policier concernant l'activité de la Charte 77.

Ferdinand PEROUTKA (1895-1978). Journaliste, écrivain. Mort aux USA où il s'est exilé en 1948.

Jan PROCHÁZKA (1929-1971). Ecrivain, proche du pouvoir avant 1968, interdit de publication après l'invasion soviétique.

Jaroslav SEIFERT (1901-1986). Poète, prix Nobel de littérature en 1984. En français, entre autres : *Le parapluie de Piccadilly*, *Les danseuses sont passées par ici* (éd. Actes Sud).

Josef ŠKVORECKÝ (né en 1924). Romancier, traducteur. Vit aujourd'hui au Canada, où il a créé la maison d'édition Sixty-Eight Publishers qui publie avant tout les livres de « samizdat ». En français ont paru notamment : *Les lâches*, *Le lionceau*, *Le bataillon blindé*, *Le saxophone basse et autres nouvelles* (éd. Gallimard).

Pavel TIGRID (né en 1917). Journaliste, éditeur, à Paris, de la revue tchèque *Svědectví (Le Témoignage)*.

Zdeněk URBÁNEK (né en 1917). Ecrivain et traducteur.

Ludvík VACULÍK (né en 1926). Journaliste et romancier. Collaborateur de la revue *Literární noviny*, en 1968 publie un manifeste « Deux mille mots » qui connaît un grand retentissement auprès des intellectuels tchécoslovaques. En français : *La hache*, *Les cobayes* (éd. Gallimard) et *La clé des songes* (éd. Actes Sud).

Ivan VYSKOČIL (né en 1926). Acteur de théâtre et dramaturge, professeur de psychologie.

Jan WERICH (1905-1980). Acteur, auteur dramatique, cofondateur, avec Jiří Voskovec, du *Théâtre libéré*, la plus importante scène d'avant-garde tchèque de l'entre-deux-guerres.

DÉJÀ PARUS AUX ÉDITIONS DE L'AUBE

Romans, théâtre, nouvelles :

Michel BERNARDY, *Le jeu verbal ou traité de diction française à l'usage de l'honnête homme*
    Coédition Théâtre du Gymnase (Marseille)
Pierre BEZIERS, *Un Robespierre de papier* (théâtre)
    Coédition Théâtre du Maquis (Aix-en-Provence)
Jorge Luis BORGES et Osvaldo FERRARI, *Ultimes dialogues*
    Coédition Zoé (Genève)
Fernando BUTAZZONI, *Le tigre et la neige* (roman)
Kosta DIMITRIJEVIĆ, *La Petite paysanne au trapèze volant* (nouvelles)
Ilo de FRANCESCHI, *Ecrivez-moi, Madeleine*
Jean-Paul DEMURE, *Petites chroniques de nuit* (nouvelles)
Denis GUÉNOUN, *Un conte d'Hoffmann* (théâtre)
    Coédition Comédie de Genève
Marion HENNEBERT et Nina KEHAYAN, *Librairie, librairies — Regards d'écrivains* (anthologie)
Vítězslav NEZVAL, *Rue Gît-le-Cœur* (récit)
Constantin PAOUSTOVSKI, *La tanche d'or* (nouvelles)
Victor PASKOV, *Ballade pour Georg Henig* (roman)
Ali SERGHINI, *La nuit par défaut* (roman)
Beat STERCHI, *La vache* (roman)
John TAYLOR, *Tower Park* (nouvelles)
Martin ZIEGLER, *La suite des temps* (roman)

Essais :

Gérard CHALIAND, *Voyage dans vingt ans de guérillas*
    Coédition Boréal (Québec)
Jean-Marie CHAUVIER, *URSS : une société en mouvement*
André DE LOS SANTOS, *Vaucluse : la ressource humaine*
    Coédition A. Barthélemy (Avignon)

André DE LOS SANTOS, *Bouches-du-Rhône : La ressource humaine*
Peter GLOTZ, *Manifeste pour une nouvelle gauche européenne*
Madeleine LAMOUILLE, *Pipes de terre et pipes de porcelaine*, Souvenirs publiés
   par Luc Weibel
   Coédition Zoé (Genève)
François de MUIZON (Propos recueillis par), *L'irrésistible ascension de Nasser
   Sabeur*

Cuisine migrante :

Shirley JOHNSON-BEKAERT, *États-Unis : la cuisine des origines*
Nina KEHAYAN, *Voyages de l'aubergine*

Achevé d'imprimer en février 1990
sur presse CAMERON
dans les ateliers de la S.E.P.C.
à Saint-Amand-Montrond (Cher)
pour le compte des Éditions de l'Aube

DIFFUSION / DISTRIBUTION

Harmonia mundi, pour la France
Mas de Vert
13200 Arles
Tél. : 90.49.90.49

Éditions Zoé, pour la Suisse
20, avenue Cardinal-Mermillod
CH 1227 Carouge GE
Tél. : 022.42.78

La Caravelle, pour la Belgique
303, rue du Pré-aux-Oies, B 1130 Bruxelles
Tél. : (02) 216.82.00

Raffin inc., pour le Canada
7870 Fleuricourt, St-Léonard, Québec, HIR2L3
Tél. : (514) 325.5553

Dépôt légal : octobre 1989.
N° d'Édition : 24. N° d'Impression : 232.

Imprimé en France